Andrea Wieser

Das Violinschlüsselbuch

Impressum

D 2127 / ISMN 979-0-50017-493-6 / ISBN 978-3-86849-320-7
Illustrationen und Notensatz: Andrea Wieser, Fieberbrunn
Foto: Michael Jöbstl, Fieberbrunn
Umschlaggestaltung: Ulrike Hofbauer

www.dux-verlag.de

Vorwort

Hallo, ich bin Peppo, der Tausendfüßler und werde dich durch dieses Buch begleiten.

Zunächst fängst du mit den Seiten 6 bis 13 an. Dann hängt es von deinem Instrument ab, mit welchem Kapitel du startest.

Wenn du zum Beispiel Blockflöte, Gitarre oder Querflöte spielst, beginnst du mit dem Kapitel „g^1-Fünftonraum g^1, a^1, h^1, c^2, d^2" (Seite 14 bis 26).

Für den Geigenspieler eignet sich am Anfang das Kapitel „a^1-Fünftonraum a^1, h^1, c^2, d^2, e^2" (Seite 39 bis 50).

Klarinettisten, Trompeter und Hornisten starten mit dem Kapitel „c^1-Fünftonraum c^1, d^1, e^1, f^1, g^1" (Seite 27 bis 38).

Welche Reihenfolge du bei den Kapiteln wählst, entscheidet dein Instrumentallehrer.

Am Ende dieses Buches hast du alle Noten von g bis g^2 im Violinschlüssel kennengelernt.

Also dann, fang gleich an!!!

Inhalt

Violinschlüssel zeichnen

Weißt du, wie man den Violinschlüssel zeichnet?
Fange mit der Schnecke an:
Nimm verschiedene Farbstifte und zeichne die folgende Form mehrmals nach:

Beginne beim Pfeil: 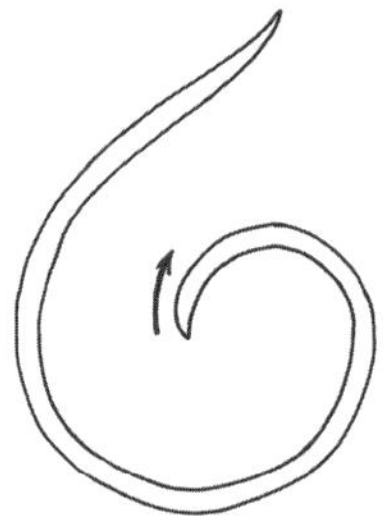

Violinschlüssel zeichnen

Zeichne den Violinschlüssel mit verschiedenen Farbstiften nach. Sprich dazu den folgenden Reim:

Schneck, Schneck, komm heraus,
strecke deine Fühler aus!

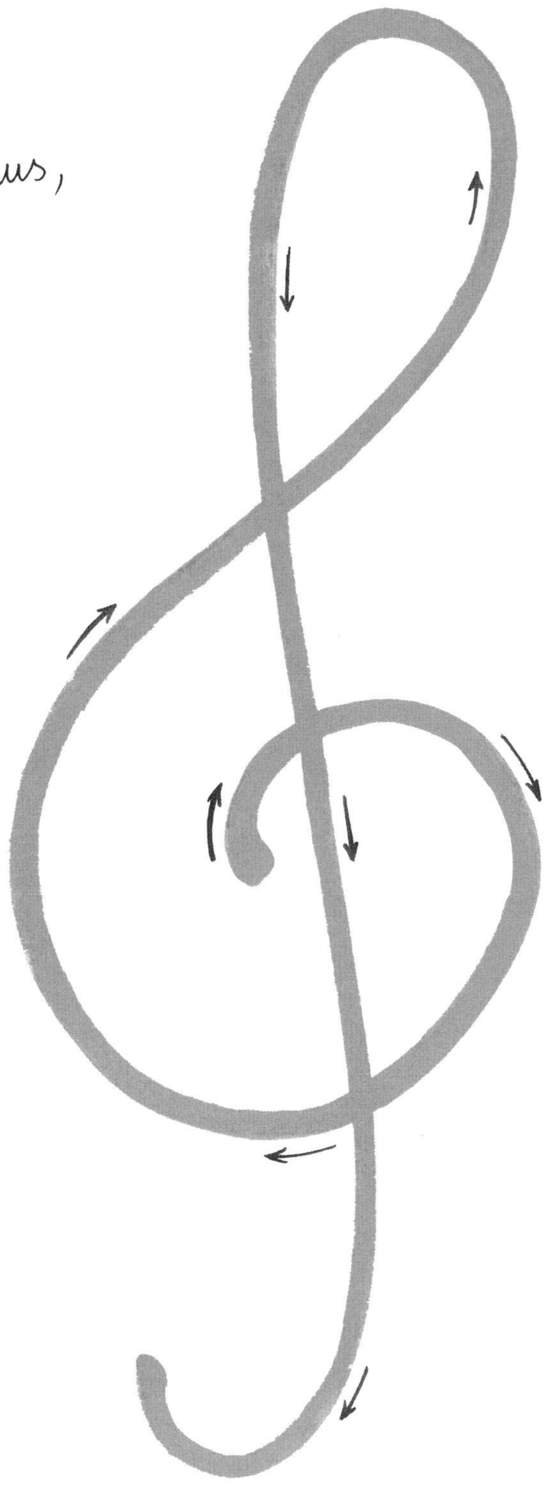

Violinschlüssel zeichnen

Versuche, die verschiedenen
Abschnitte des Violinschlüssels
mehrmals zu zeichnen.
Beginne immer auf der zweiten Linie.

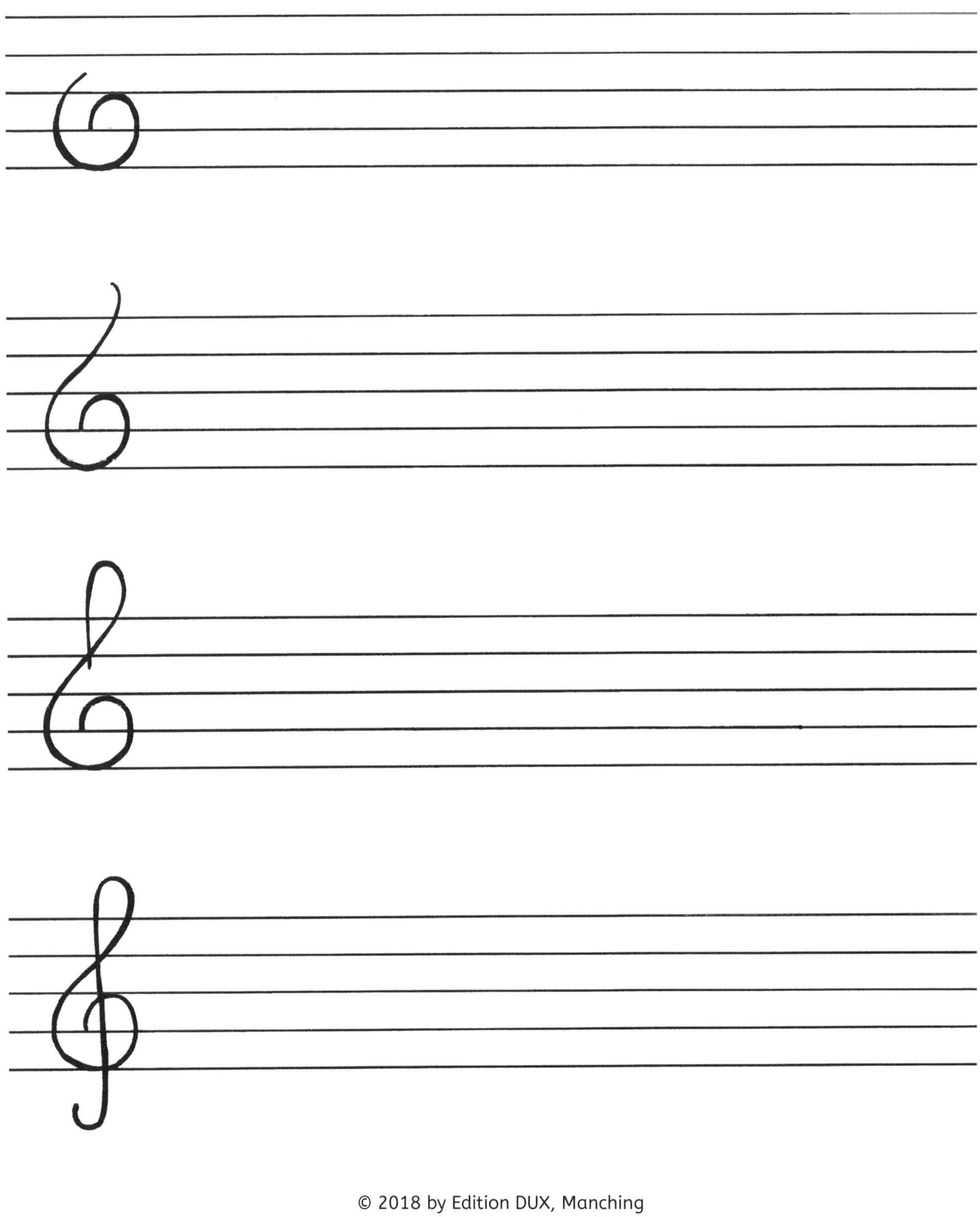

Linie - Zwischenraum

Unser Notensystem besteht aus fünf Linien mit vier Zwischenräumen:

————————	5. Linie
4. Zwischenraum	
————————	4. Linie
3. Zwischenraum	
————————	3. Linie
2. Zwischenraum	
————————	2. Linie
1. Zwischenraum	
————————	1. Linie

Du kannst die Notenköpfe auf die Linien (L) oder in die Zwischenräume (Z) schreiben:

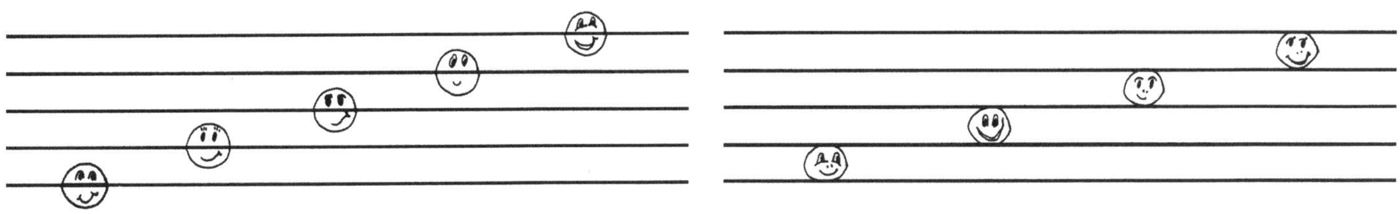

1. L   2. L   3. L   4. L   5. L   1. Z   2. Z   3. Z   4. Z

Kannst du unter die Notenköpfe schreiben, wo diese sich befinden?

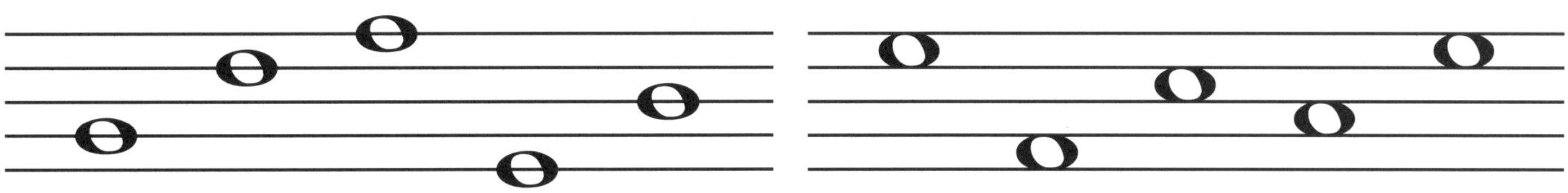

Linie – Zwischenraum

Schreibe unter die Notenköpfe, wo diese sich befinden.

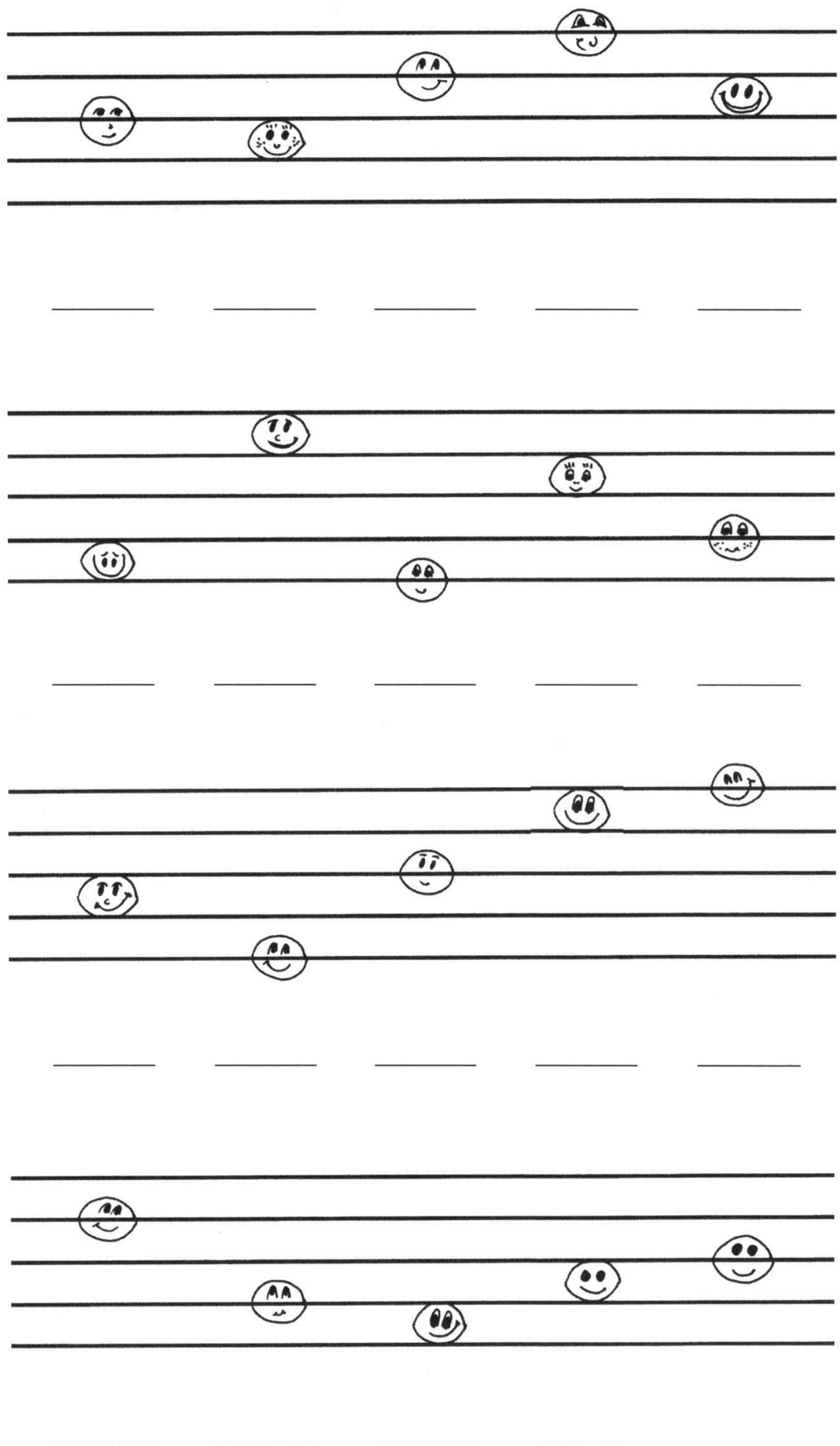

Linie - Zwischenraum

Setze die Notenköpfe an die richtige Stelle.
Du brauchst ihnen keine Gesichter aufmalen.

3. L 2. Z 1. L 4. Z 5. L 4. L 4. Z 2. L

1. Z 2. L 3. L 2. Z 4. L 1. Z 3. Z 3. L

3. Z 5. L 4. L 4. Z 2. L 1. L 5. L 1. Z

1. L 2. Z 5. L 4. Z 3. Z 2. L 4. L 1. Z

Linie - Zwischenraum

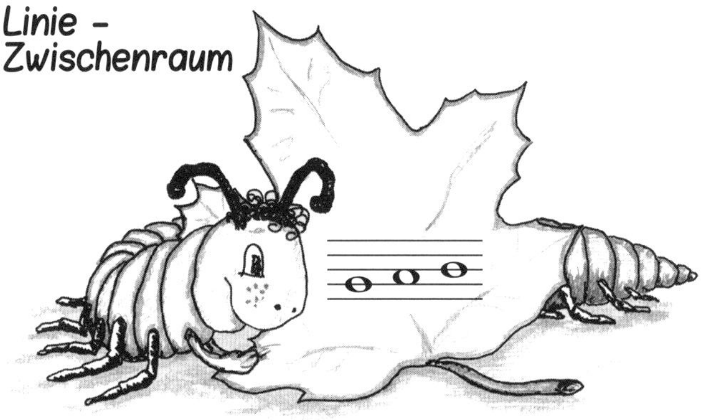

Schreibe unter die Notenköpfe, wo diese sich befinden.

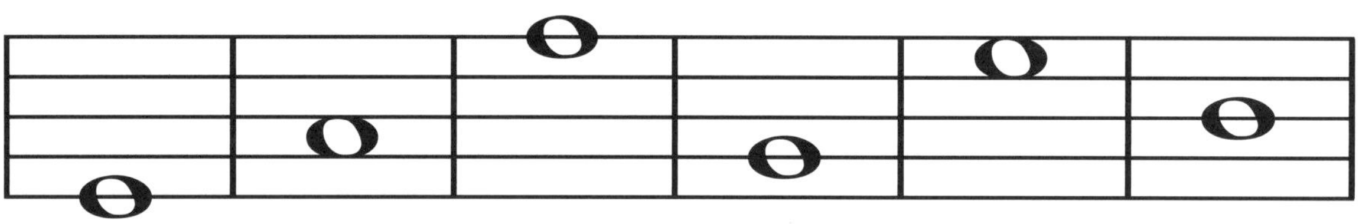

_____ _____ _____ _____ _____ _____

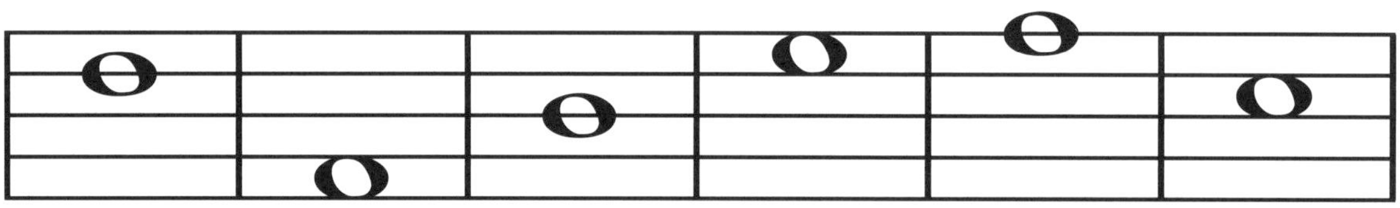

_____ _____ _____ _____ _____ _____

Setze die Notenköpfe an die richtige Stelle.

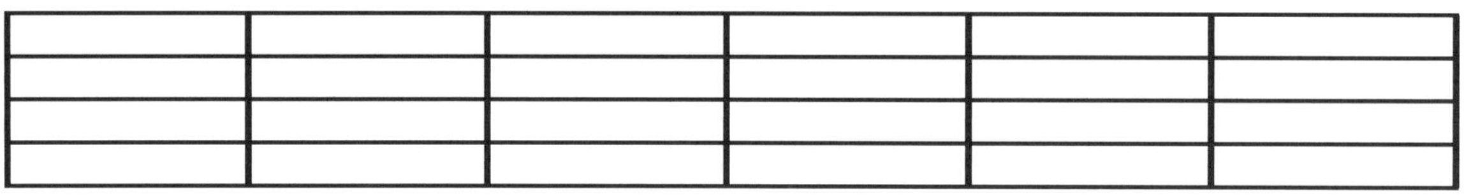

1. Z	3. L	5. L	4. Z	2. L	2. Z

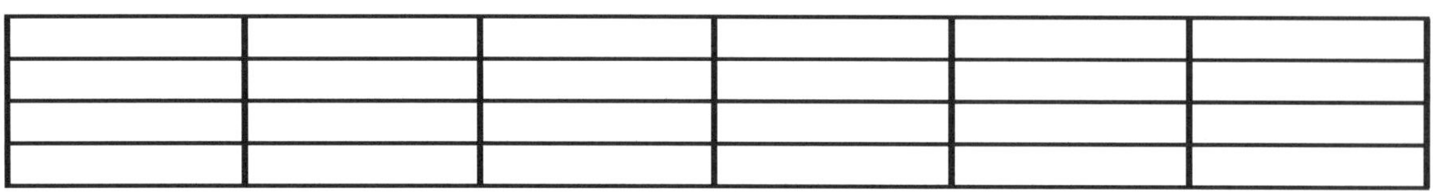

1. L	4. L	3. Z	1. Z	5. L	4. Z

Tonleiter schreiben

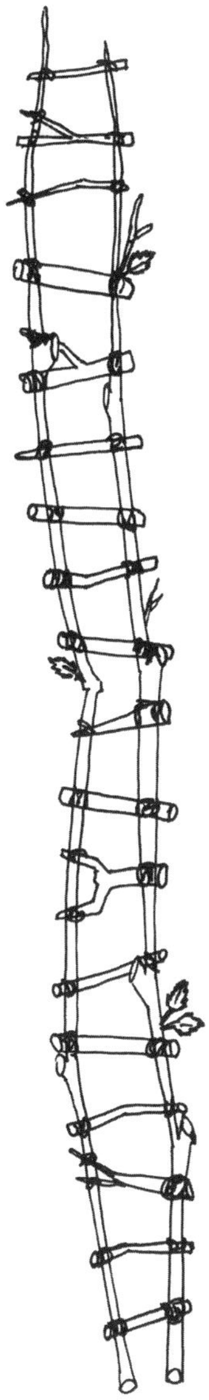

Hier siehst du eine Tonleiter aufwärts:

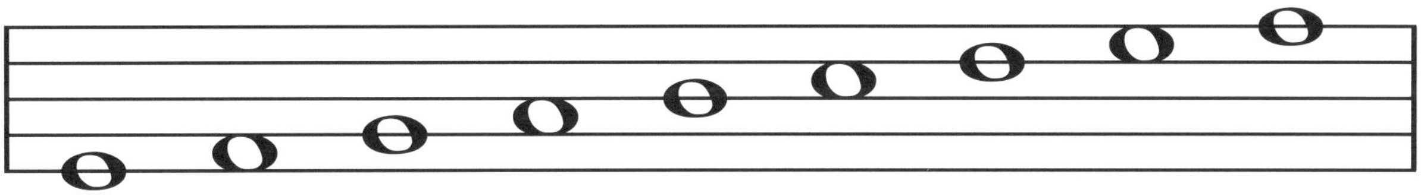

Kannst du die Tonleiter aufwärts aufschreiben?

Hier siehst du eine Tonleiter abwärts:

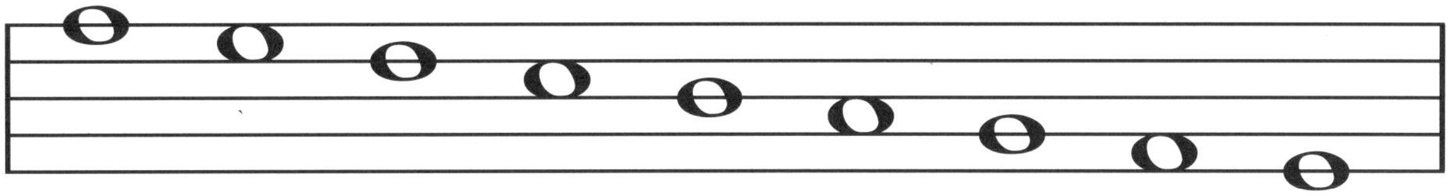

Kannst du die Tonleiter abwärts aufschreiben?

g^1-Fünftonraum

Der Violinschlüssel wird auch G-Schlüssel genannt. Das kommt daher, dass dieser Schlüssel ursprünglich ein verschnörkeltes G darstellte. Der Startpunkt des Violinschlüssels liegt auf der zweiten Linie, auch G-Linie genannt. Die Note auf der zweiten Linie heißt g^1. Weiter geht´s mit den Tönen a^1 und h^1.

Peppo möchte angemalt werden!
Du brauchst drei Farbstifte: blau, braun und violett

Jedes Feld mit der Note g^1 malst du blau an.
Jedes Feld mit der Note a^1 malst du braun an.
Jedes Feld mit der Note h^1 malst du violett an.

g^1-Fünftonraum

g^1, a^1, h^1

Schreibe die Notennamen unter die Notenlinien.

Kannst du die fehlenden Buchstaben ergänzen?

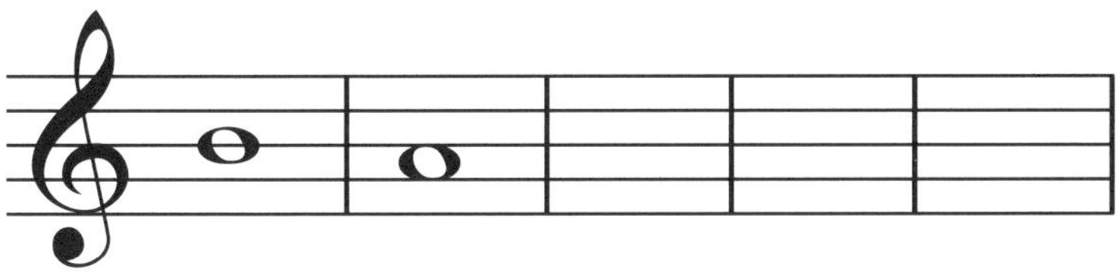

__ __ L L O!

g^1, a^1, h^1

g^1–Fünftonraum

Neun Notenkopffische schwimmen im Meer. Siehst du die Wellenlinie, die die Fische bilden? Zuerst geht die Melodie nach oben, dann wieder nach unten usw. Schreibe die Notennamen unter die Notenlinien.

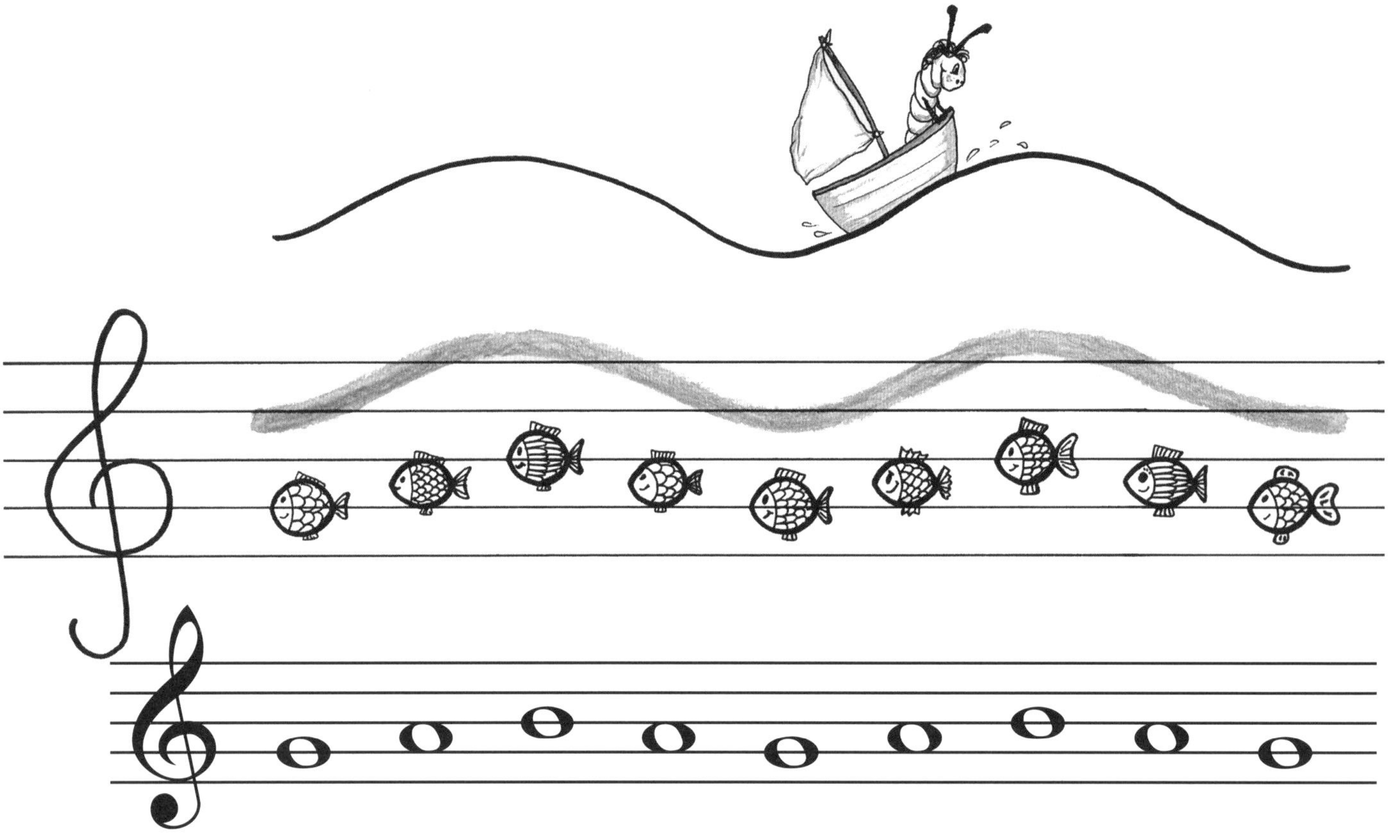

__ __ __ __ __ __ __ __ __

Notengeheimschrift * Notengeheimschrift * Notengeheimschrift

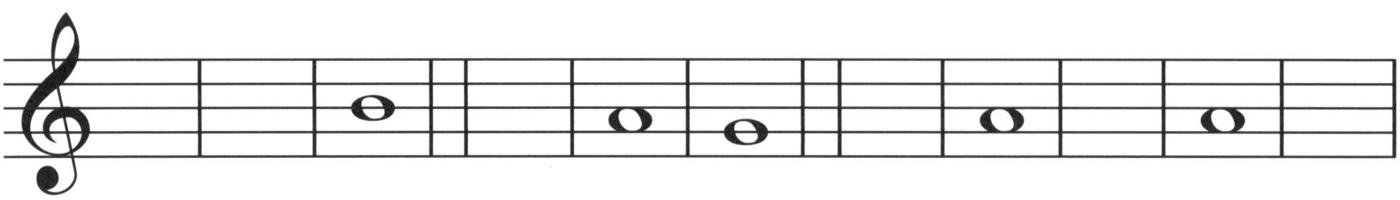

I C __ M __ __ K __ K __ O.

g^1-Fünftonraum

g^1, a^1, h^1

Kannst du die richtigen Noten in die Notenlinien schreiben?

a^1 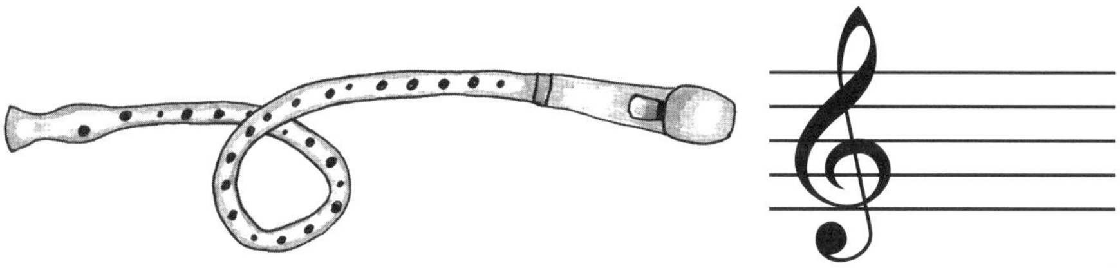

h^1 

g^1 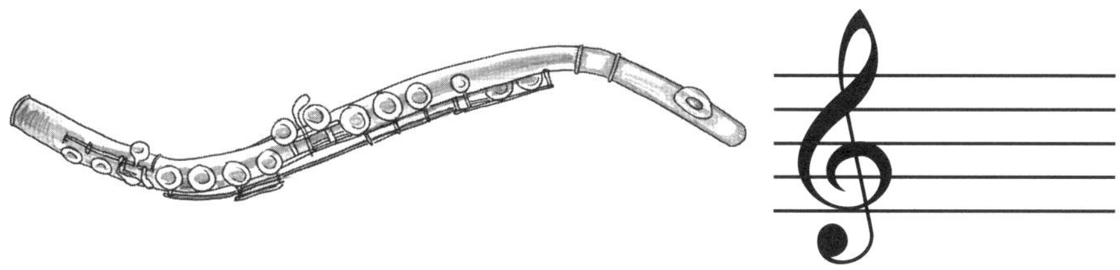

Ich möchte dir meine Lieblingstiere vorstellen:

Gockel 

Affe 

Hase 

g^1, a^1, h^1

g^1-Fünftonraum

Weißt du, welche Noten du in die Notenlinien schreiben sollst? Der Anfangsbuchstabe des Tiernamens entspricht dem Notennamen.

Kreuze den richtigen Notennamen an.

☐ a^1
☐ g^1
☐ h^1

☐ h^1
☐ a^1
☐ g^1

☐ g^1
☐ h^1
☐ a^1

☐ a^1
☐ h^1
☐ g^1

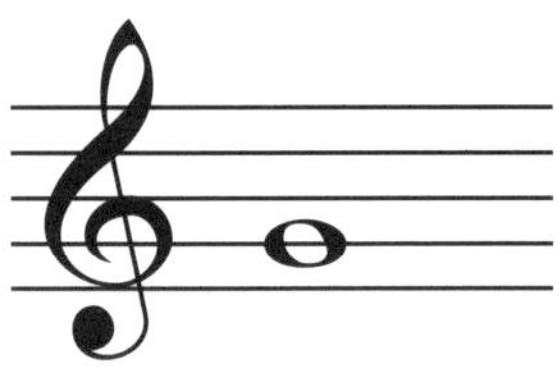

☐ h^1
☐ a^1
☐ g^1

☐ g^1
☐ h^1
☐ a^1

g^1-Fünftonraum

h^1, c^2, d^2

Jetzt lernst du zwei neue Noten, das c^2 und das d^2:

c^2 d^2

Das h^1 liegt auf der dritten Linie, genau in der Mitte. Das c^2 liegt im 3. Zwischenraum, das d^2 auf der vierten Linie.

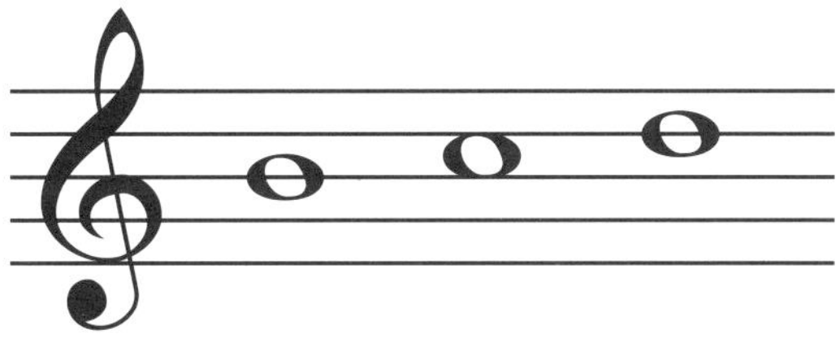

Eichhörnchen knacken Nüsse. Ist diese Seite für dich eine „harte Nuss“? Du schaffst das sicher spielend.

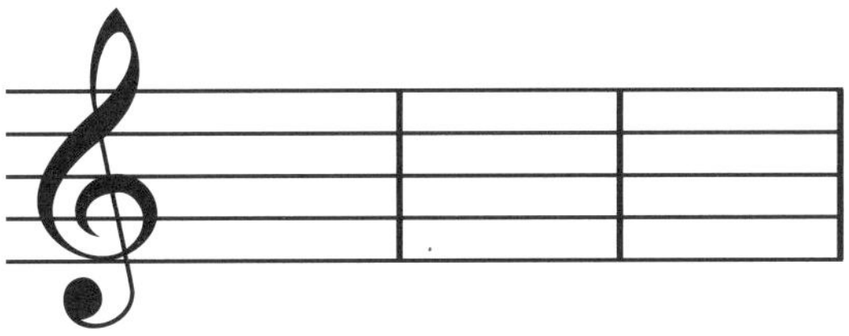

c^2 d^2 h^1

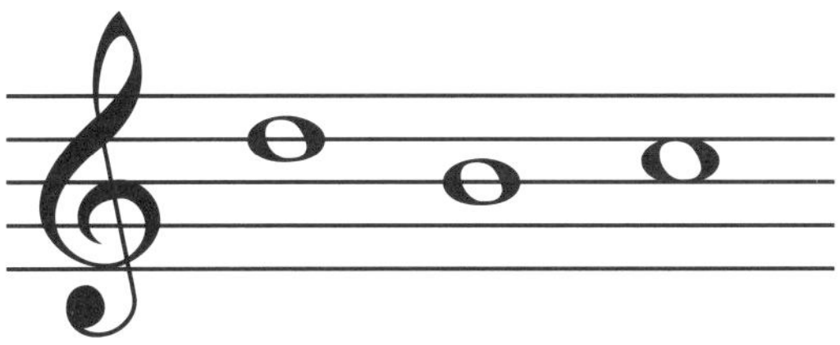

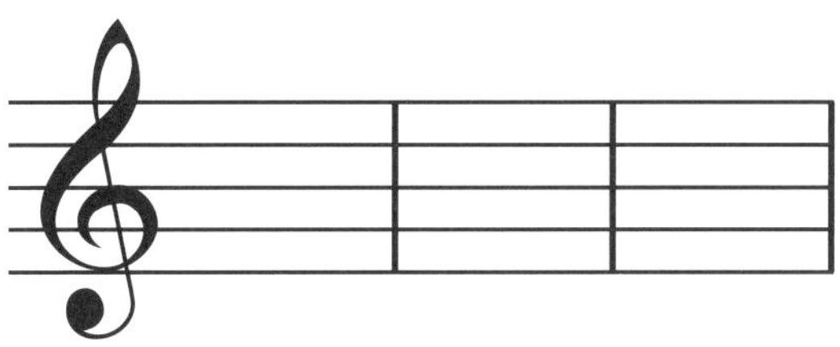

d^2 h^1 c^2

h^1, c^2, d^2

g^1-Fünftonraum

Oje, diese Pilze sind giftig!
Nimm drei Farben zur Hand: violett, rot und orange.
Male die Pilze in der richtigen Farbe an:

h^1 → violett
c^2 → rot
d^2 → orange

g^1-Fünftonraum

Spiele die Töne c^2 und a^1 auf deinem Instrument und höre genau hin. Wonach klingen diese zwei Töne?
Sie erinnern an den Kuckucksruf.

So sieht die Kuckucksterz c^2 - a^1 aus:

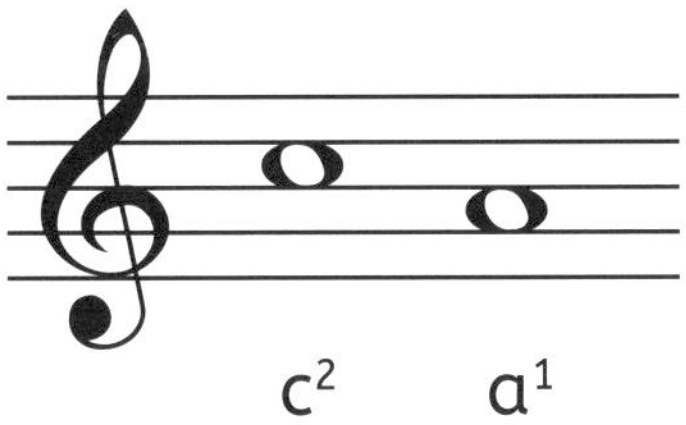

Kannst du die Kuckucksterz c^2 - a^1 in die Notenlinien und die Notennamen darunter schreiben?

a¹, c², d²

g^1-Fünftonraum

Ringel, Ringel, Reihe,
sind der Kinder dreie!
Sitzen unterm Hollerbusch,
machen alle husch, husch, husch!!

Kennst du diesen Kinderreim?

Stell dir vor, die Notenköpfe liegen auf Stufen. Zwei gleiche Töne liegen auf derselben Stufe. Ein Ton höher liegt eine Stufe weiter oben. Und zwei Töne tiefer liegen zwei Stufen weiter unten:

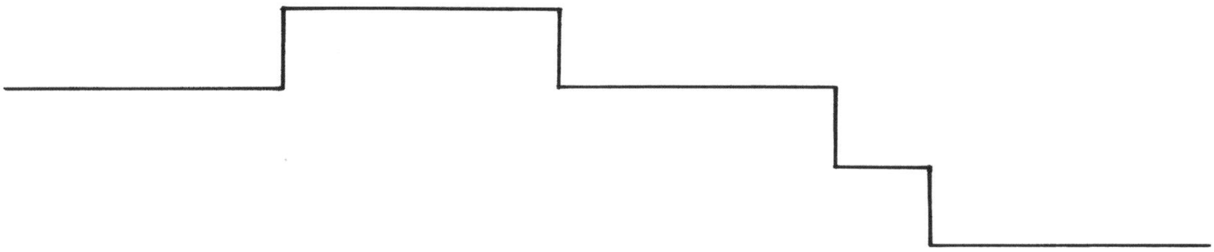

Sprich den Reim und zeige mit dem Finger die Höhe der Töne mit.
Diese Abfolge der Noten kommt viermal.

Rin-	gel,	Rin-	gel,	Rei-		he,
sind	der	Kin-	der	drei-		e!
Sit-	zen	un-	term	Hol-	ler-	busch,
mach-	en	al-	le	husch,	husch,	husch!

Kannst du die Notennamen unter die Notenlinien schreiben?

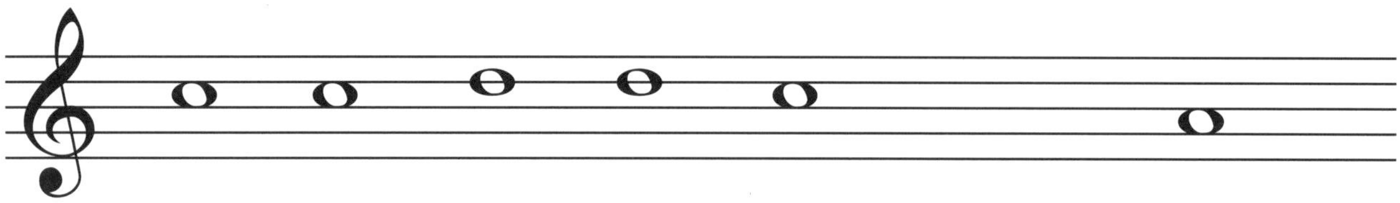

g^1-Fünftonraum

g^1, a^1, h^1, c^2, d^2

Kannst du die Luftballons mit den richtigen Briefen verbinden?

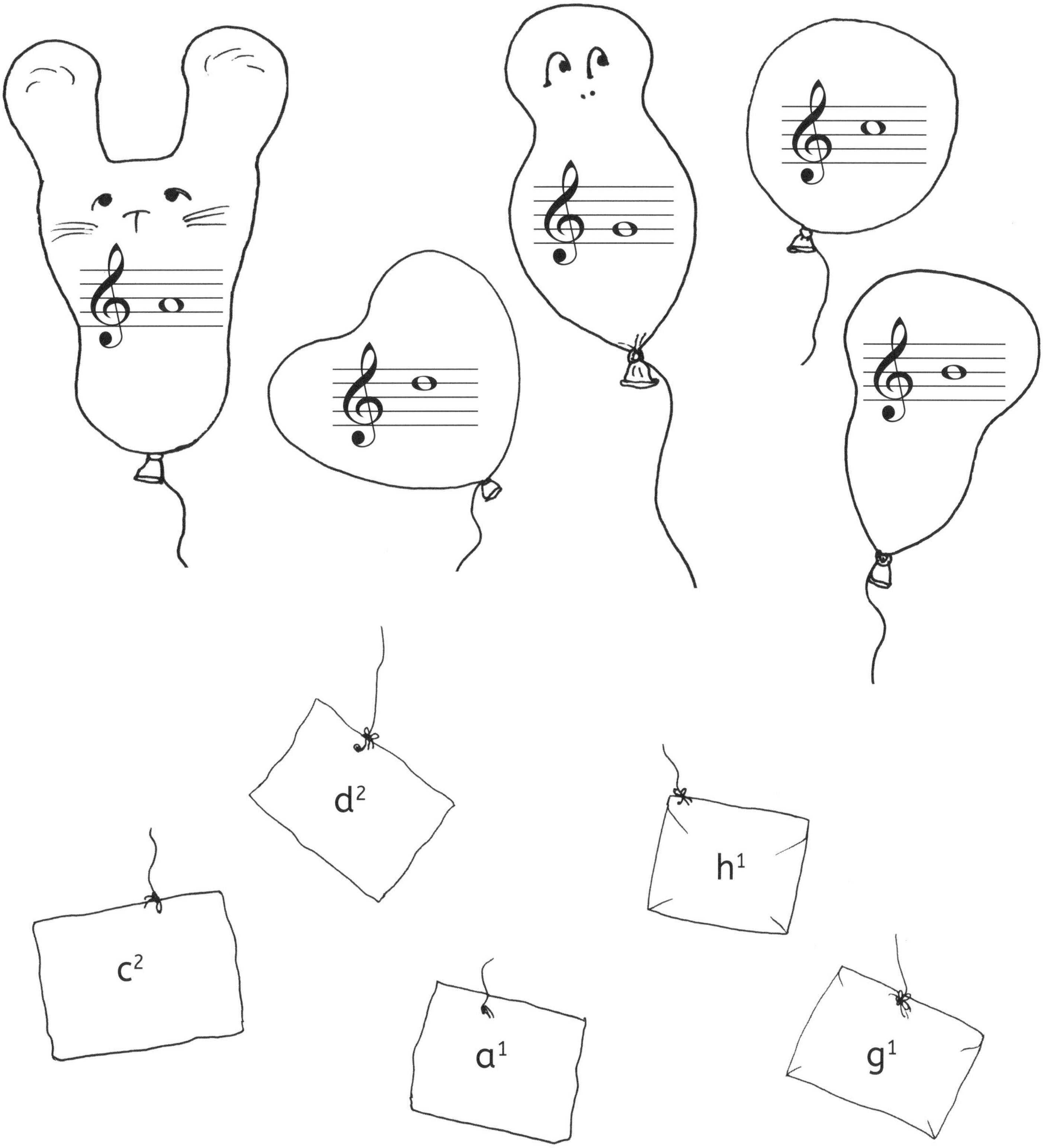

g^1, a^1, h^1, c^2, d^2

g^1-Fünftonraum

Schreibe die richtigen Noten in die Notenlinien.

g^1-Fünftonraum

g^1, a^1, h^1, c^2, d^2

Peppos Familie ist zu Besuch. Findest du die richtigen Blätter, die jedes Familienmitglied frisst? Verbinde!

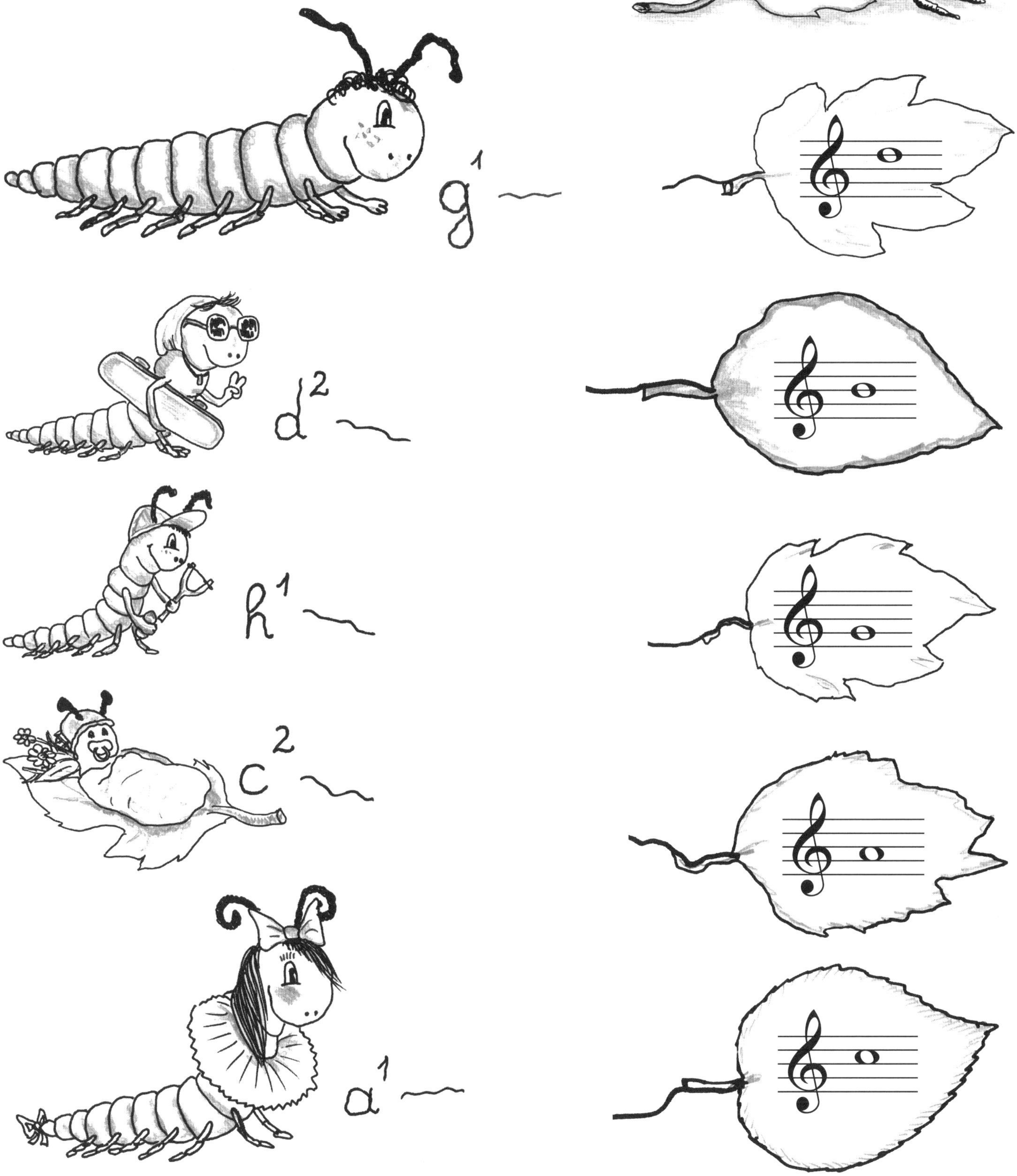

g^1, a^1, h^1, c^2, d^2

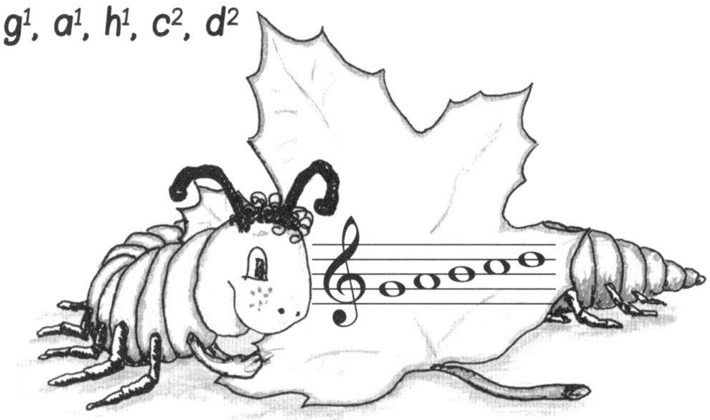

g^1-Fünftonraum

Male die Felder des Schwammerlhauses in den folgenden Farben an:

g^1 → blau
a^1 → braun
h^1 → violett
c^2 → rot
d^2 → orange

c^1-Fünftonraum

Unter die erste Linie kannst du eine sogenannte Hilfslinie schreiben:

Auf dieser Hilfslinie liegt die Note c^1, unter der ersten Linie liegt die Note d^1, auf der ersten Linie die Note e^1:

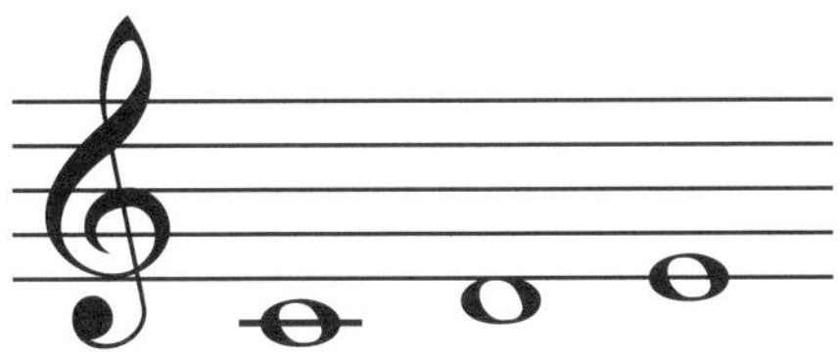

c^1 d^1 e^1

Finde den richtigen Weg durchs Labyrinth.

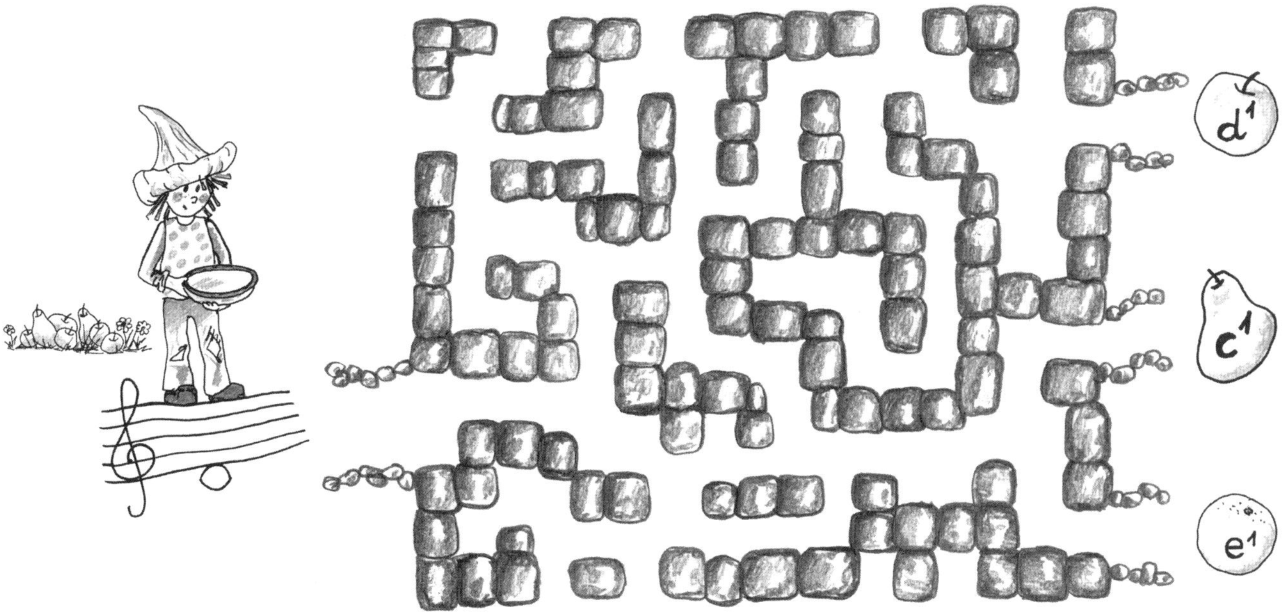

c1-Fünftonraum

Fahre mit einem Stift den richtigen Weg entlang.

Der Käfer Kurt sucht das richtige Blatt.

Wo muss die Ameise Bettina hin?

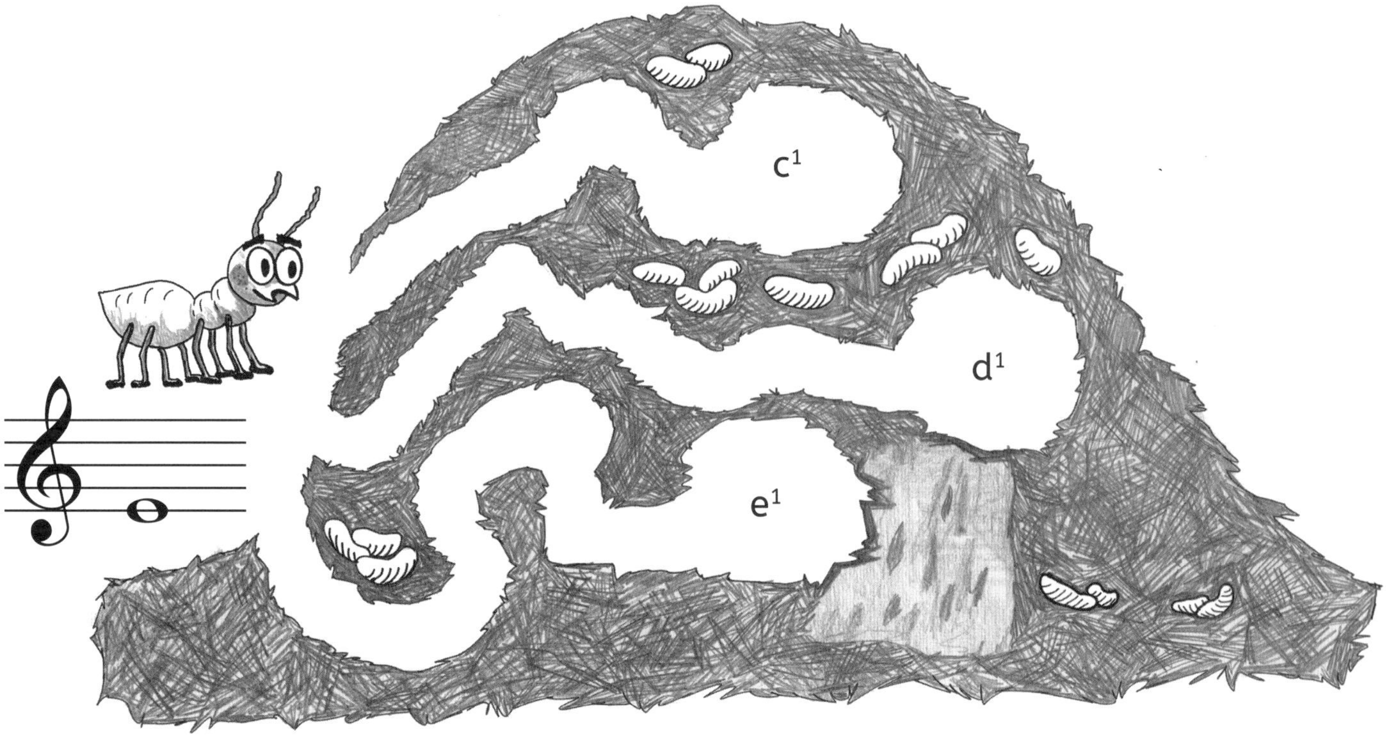

c¹-Fünftonraum

Sind die folgenden Tiere nicht süß?

Hund Cäsar

Dinosaurier

Elefant

Der Anfangsbuchstabe des Tieres ist der Notenname.
Schreibe die richtigen Noten in die Notenlinien.

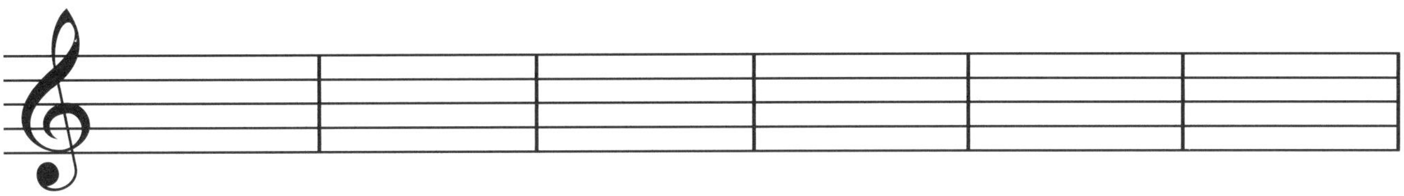

c^1, d^1, e^1

c^1-Fünftonraum

Kreuze den richtigen Notennamen an.

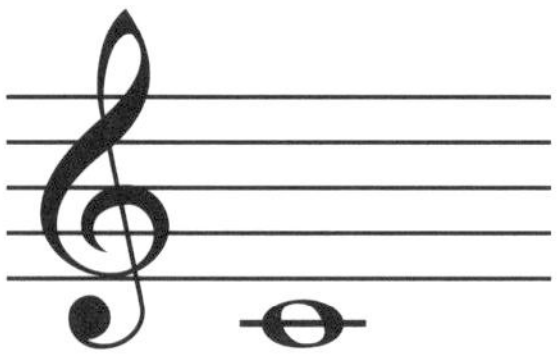

- [ ] c^1
- [ ] d^1
- [ ] e^1

- [ ] e^1
- [ ] c^1
- [ ] d^1

- [ ] d^1
- [ ] c^1
- [ ] e^1

- [ ] c^1
- [ ] d^1
- [ ] e^1

- [ ] e^1
- [ ] c^1
- [ ] d^1

- [ ] d^1
- [ ] e^1
- [ ] c^1

Notengeheimschrift * Notengeheimschrift * Notengeheimschrift

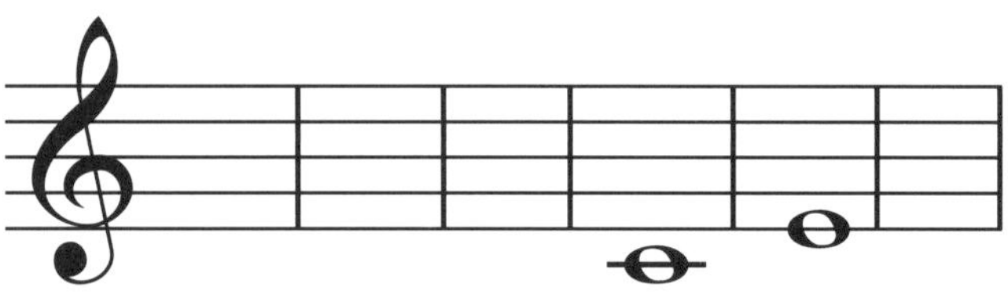

M A R __ __ L

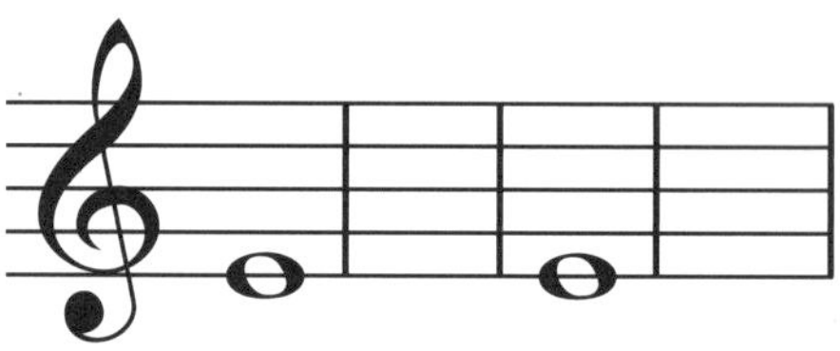

__ S __ L

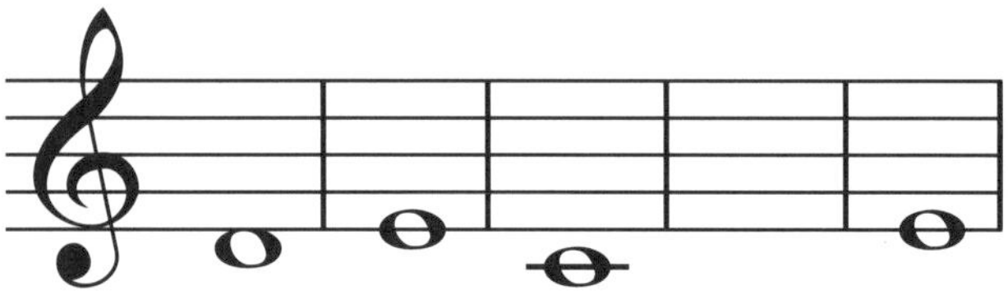

__ __ __ K __

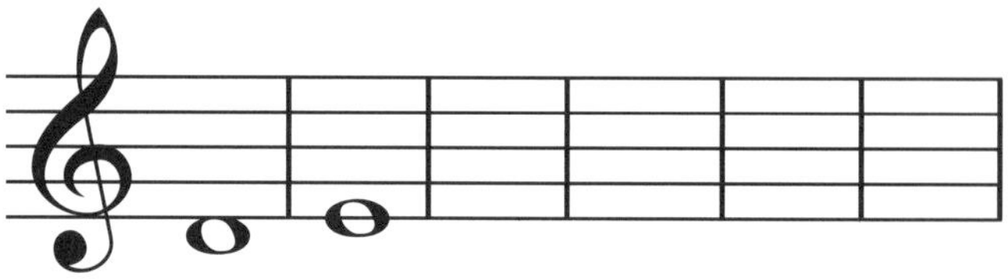

__ __ L F I N

c¹-Fünftonraum

Aha, zwei neue Noten:

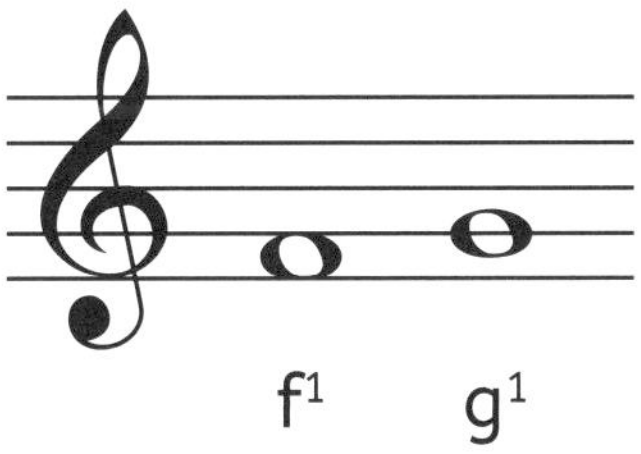

Schreibe die richtigen Notennamen darunter:

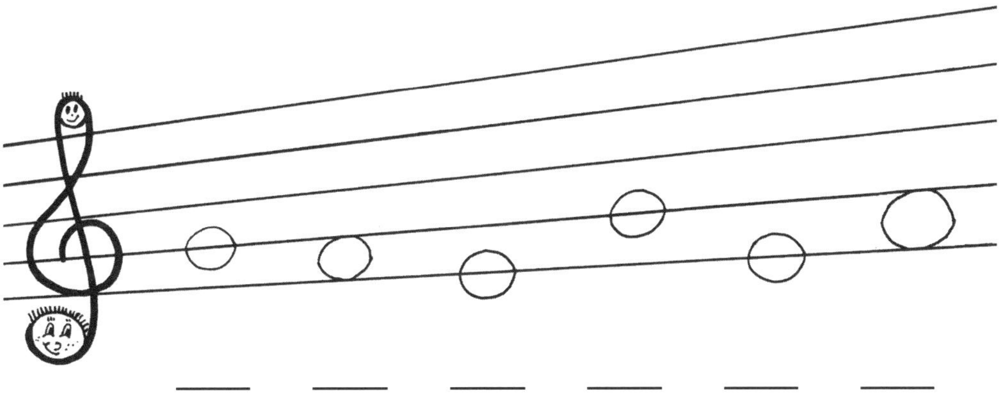

Diese Tiere finde ich total super:

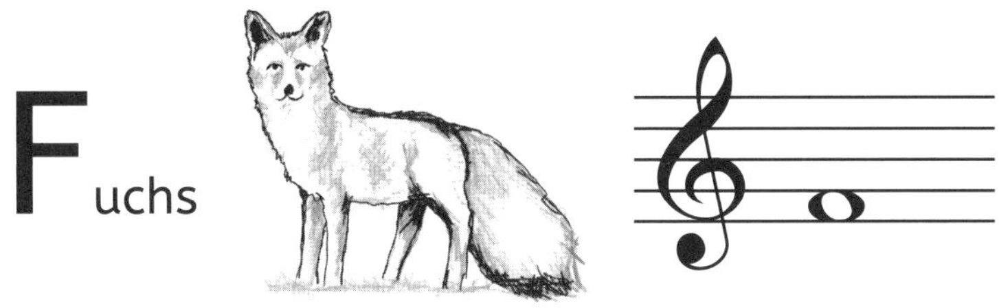

e^1, f^1, g^1

c^1-Fünftonraum

Kannst du dieses Rätsel lösen?
Der Anfangbuchstabe des Tiernamens entspricht dem Notennamen.

Schreibe die Notenköpfe an die richtige Stelle.

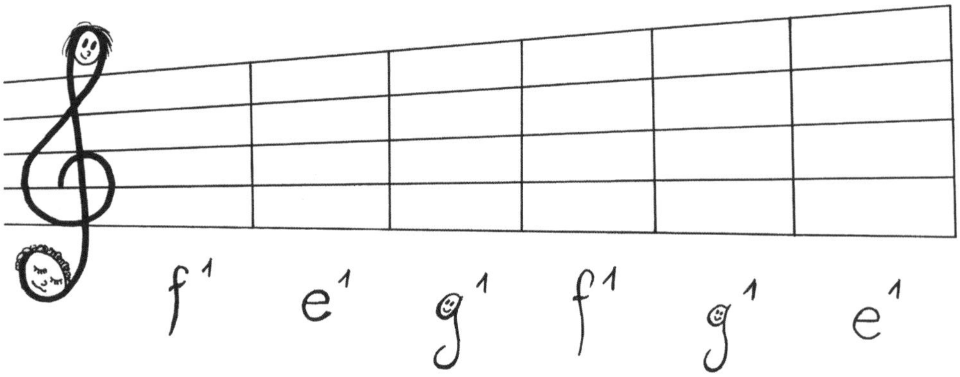

c^1-Fünftonraum

g^1, e^1

Spiele die Töne g^1 und e^1 auf deinem Instrument und höre gut hin. Der Kuckucksruf klingt genau gleich.

So sieht die Kuckucksterz g^1 - e^1 aus:

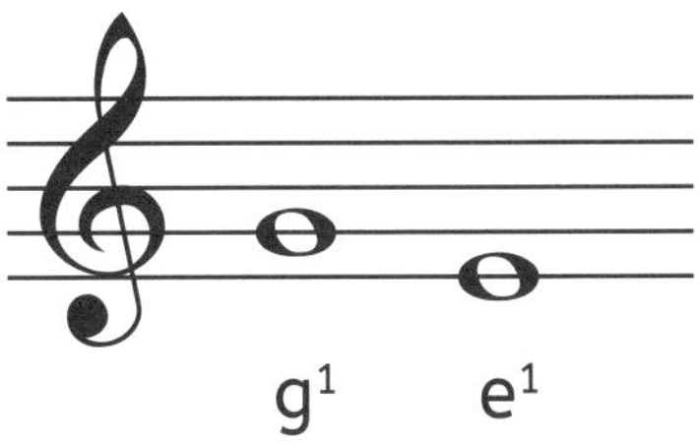

Kannst du diese Kuckucksterz in die Notenlinien und die Notennamen darunter schreiben?

c^1, d^1, e^1, f^1, g^1

c^1-Fünftonraum

Darf ich vorstellen? Die Noten c^1, d^1, e^1, f^1 und g^1 kennst du jetzt:

Schreibe die Notennamen unter die Notenköpfe:

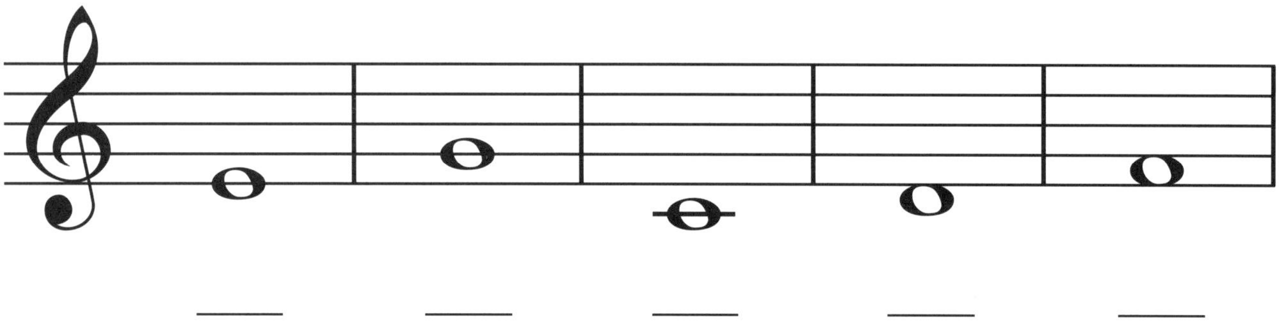

Setze die Notenköpfe an die richtige Stelle.

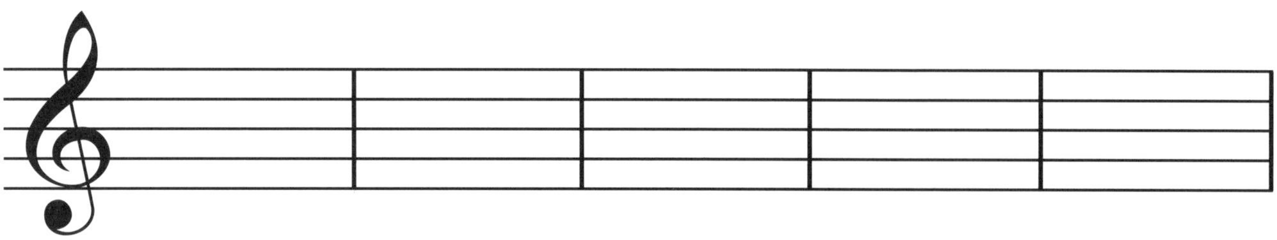

g^1 e^1 d^1 c^1 f^1

c^1–Fünftonraum

c^1, d^1, e^1, f^1, g^1

Die Waldkobolde suchen ihre Schwammerlhäuser. Verbinde!

c^1, d^1, e^1, f^1, g^1

c^1-Fünftonraum

Schreibe die richtigen Noten in die Notenlinien.

c^1-Fünftonraum

Hurra, ein Picknick!
Male das Bild in den richtigen Farben an.

Nimm für die verschiedenen Felder die folgenden Farben:

c^1 → rot
d^1 → orange
e^1 → gelb
f^1 → grün
g^1 → blau

c^1, d^1, e^1, f^1, g^1

c^1-Fünftonraum

Welche Töne spielen die Instrumente?

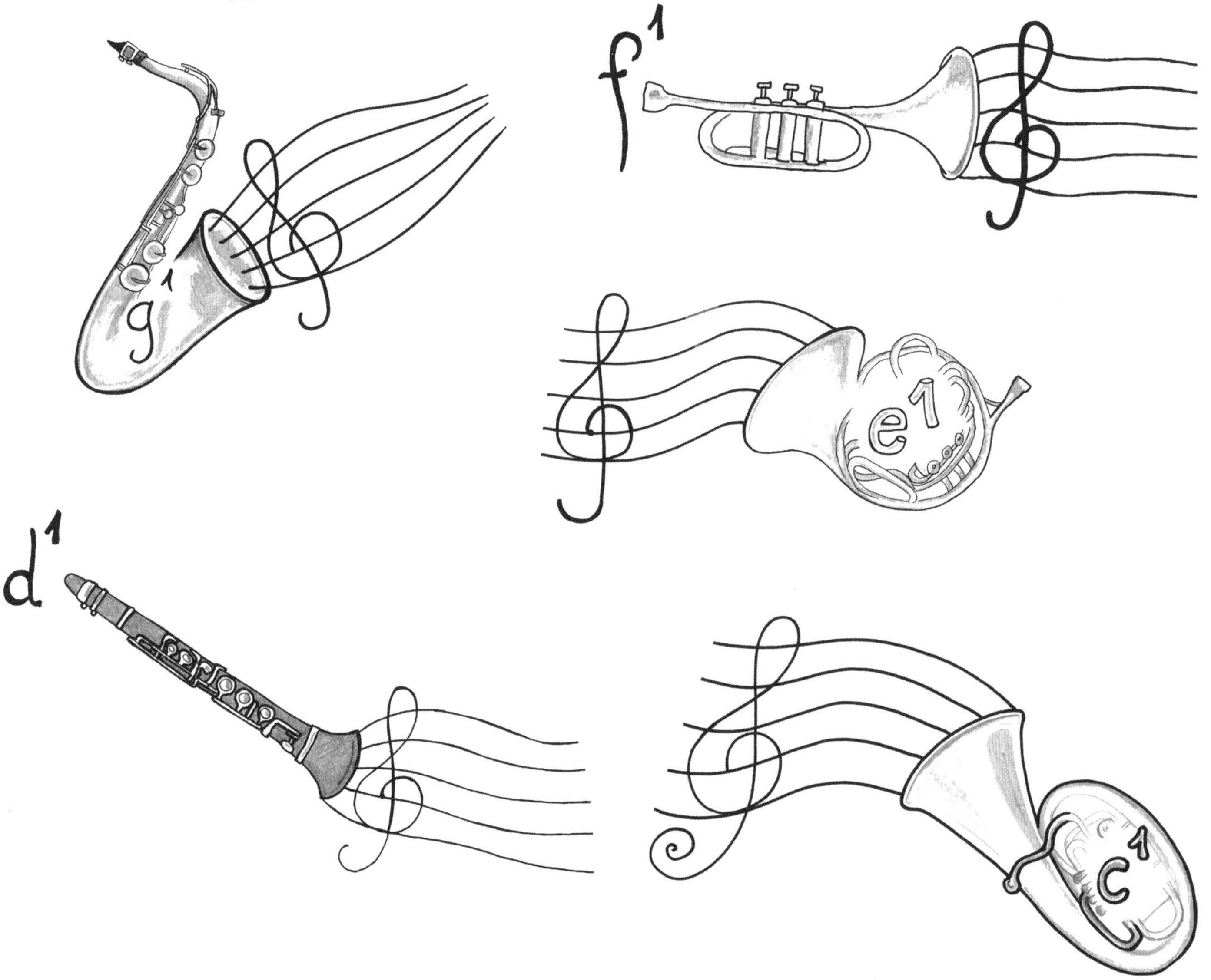

Notengeheimschrift * Notengeheimschrift * Notengeheimschrift

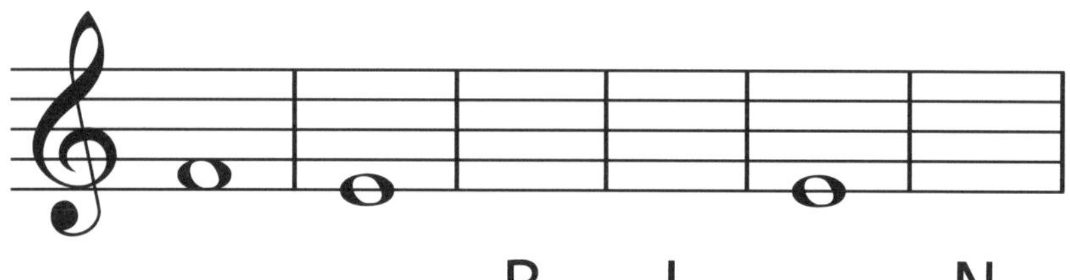

__ __ R I __ N

T __ __

a^1-Fünftonraum

a^1, h^1, c^2

Die Note a^1 liegt im zweiten Zwischenraum, die Note c^2 im dritten Zwischenraum. Das h^1 ist auf der dritten Linie.

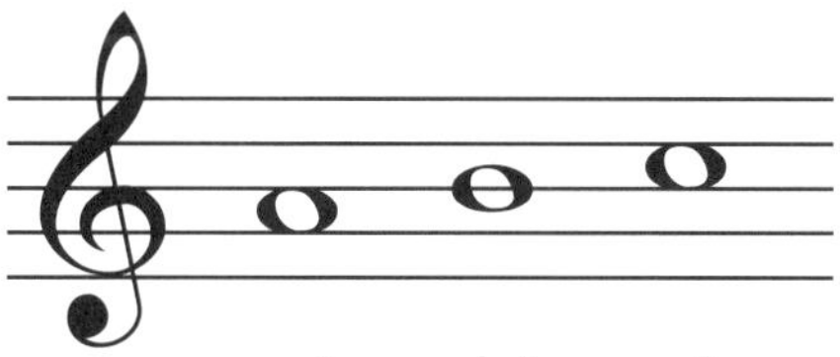

a^1 h^1 c^2

Wenn du zurück blätterst, wirst du die Note c^1 finden. Lass dir von deinem Lehrer das c^1 und das c^2 vorspielen. Diese zwei Töne klingen ähnlich, das c^2 ist eine Oktave höher als das c^1. Auf jedem Instrument gibt es mehrere Noten mit dem Namen c, d usw. Um sie unterscheiden zu können, schreibt man die kleinen Ziffern ^{1}, ^{2}, ^{3} usw. dahinter.

Schreibe die Notennamen unter die Notenköpfe:

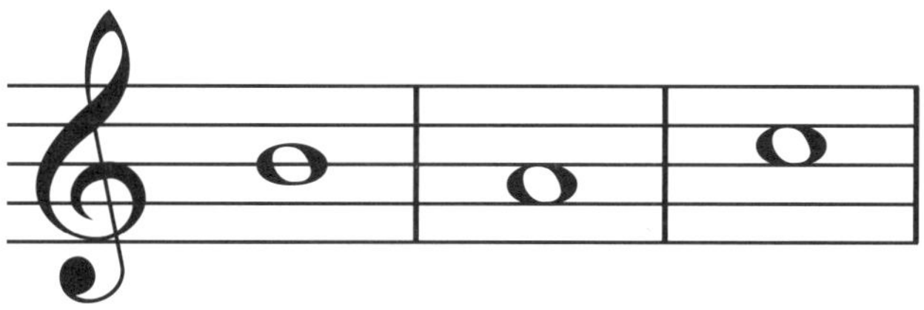

____ ____ ____

Schreibe die richtigen Noten in die Notenlinien:

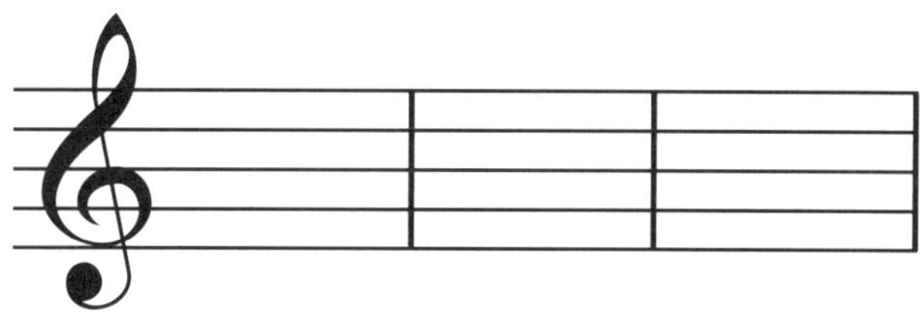

c^2 a^1 h^1

Die folgenden Tiere sind total süß:

Affe

Hase

Hund **C**äsar

a^1, h^1, c^2

a^1-Fünftonraum

Kannst du die richtigen Noten in die Notenlinien schreiben? Sie entsprechen dem ersten Buchstaben der Tiernamen.

Notengeheimschrift * Notengeheimschrift * Notengeheimschrift

Morgen gehe ich wieder in die

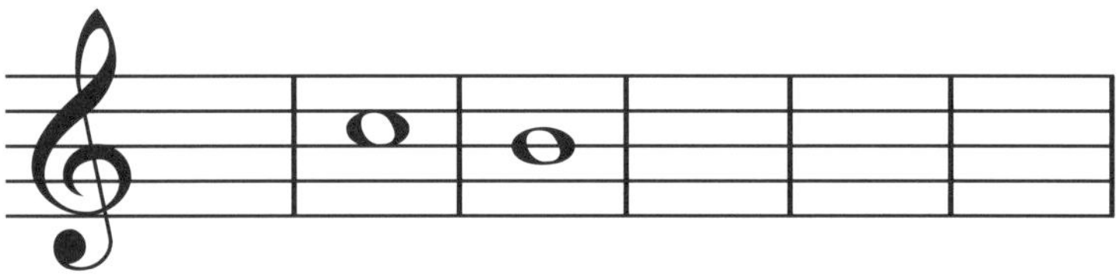

S __ __ U L E.

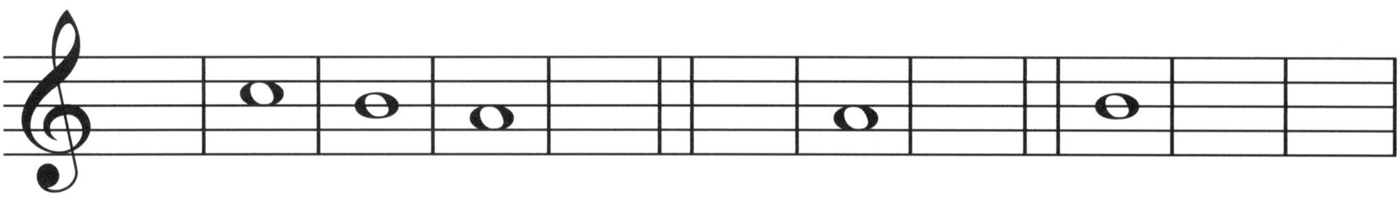

S __ __ __ U M __ L E R!

a^1-Fünftonraum

a^1, h^1, c^2

Verbinde die Luftballons mit den richtigen Briefen.

a¹, h¹, c², d², e²

a¹-Fünftonraum

Notengeheimschrift * Notengeheimschrift * Notengeheimschrift

Am liebsten mag ich nach dem Essen eine gute

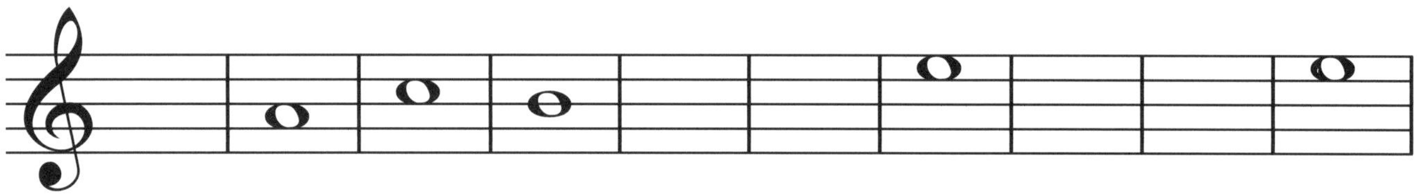

N __ __ __ S P __ I S __,

wie zum Beispiel ein Stück

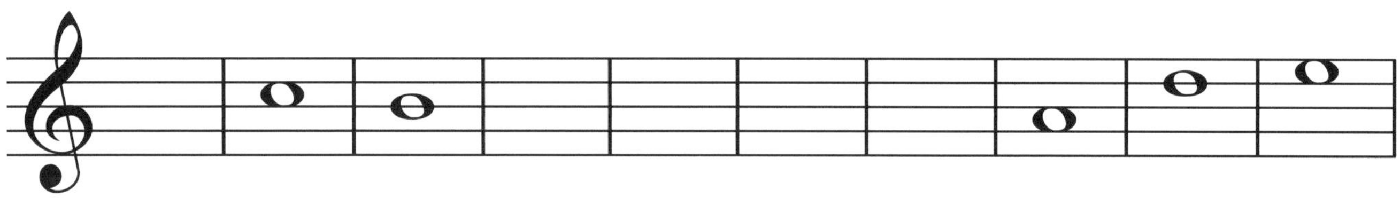

S __ __ O K O L __ __ __.

a^1-Fünftonraum

a^1, h^1, c^2, d^2, e^2

Male die Felder der Geige
in den richtigen Farben an:

a^1 → braun
h^1 → violett
c^2 → rot
d^2 → orange
e^2 → gelb

a^1, h^1, c^2, d^2, e^2

a^1-Fünftonraum

Zieh den Männchen die richtigen Kleider an. Verbinde!

a^1-Fünftonraum

a^1, h^1, c^2, d^2, e^2

Drehe dein Buch und schreibe die richtigen Noten in die Notenlinien.

a^1, h^1, c^2, d^2, e^2

a^1-Fünftonraum

Beginne mit der Notengeheimschrift. Wenn du die Rätsel gelöst hast, kannst du die ganze Geschichte lesen.

Ein toller Tag

___ ___ n i ___ l hat

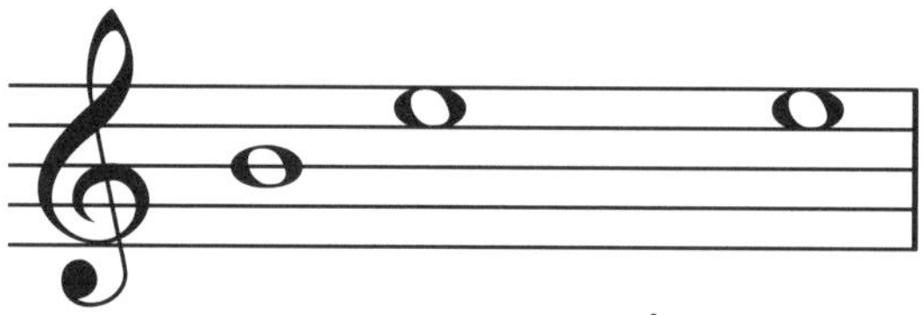

___ ___ u t ___ Geburtstag.

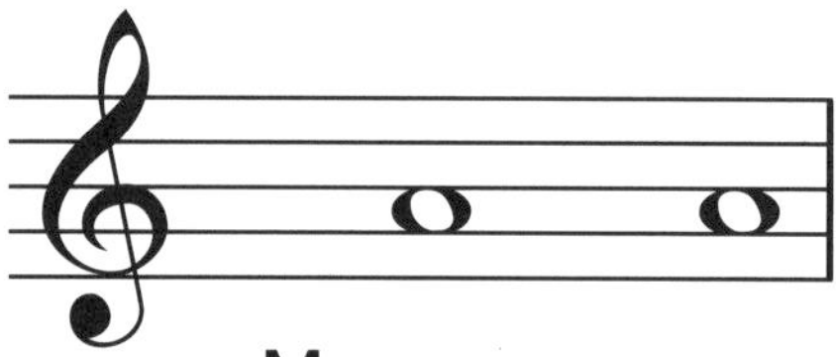

M ___ m ___ hat einen tollen

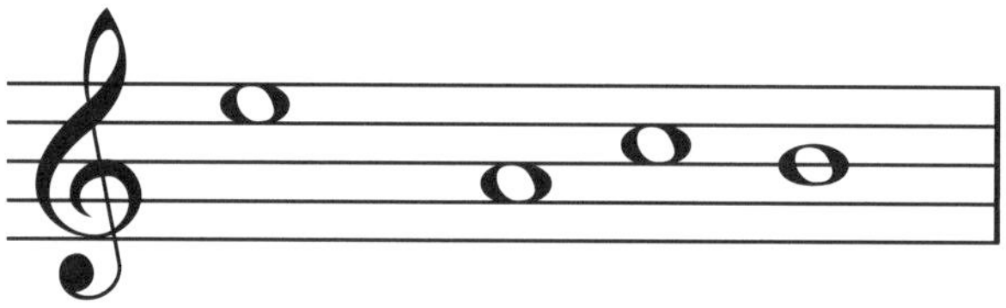

g ___ m ___ ___ ___ t.

a^1–Fünftonraum

a^1, h^1, c^2, d^2, e^2

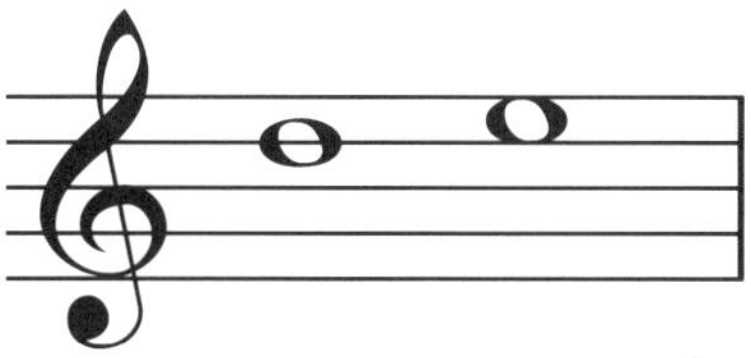

___ r ___ i  kommen und bringen viele

 mit. 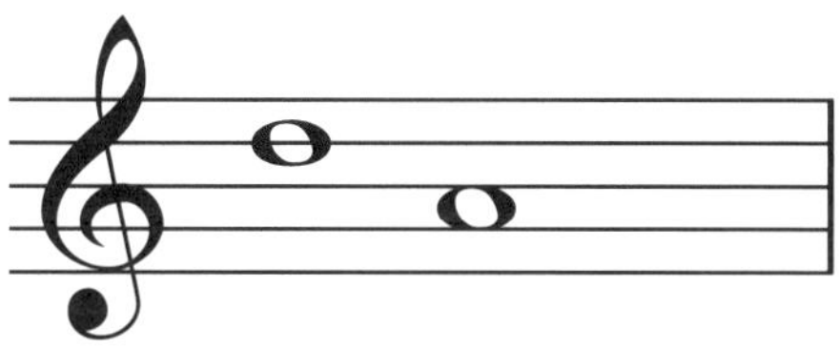

___ ___ n n spielen sie

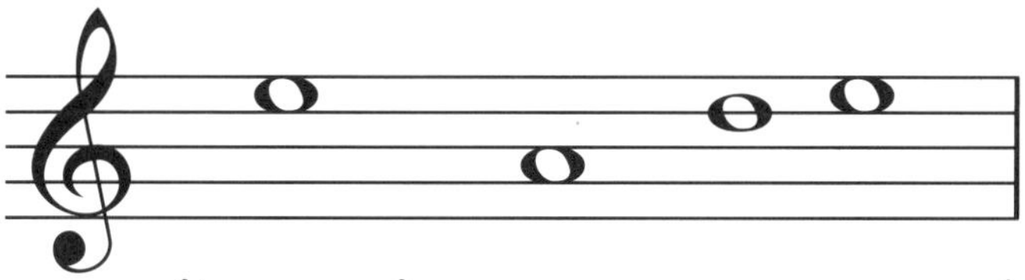

mit ___ in ___ n ___ ___r im Garten.

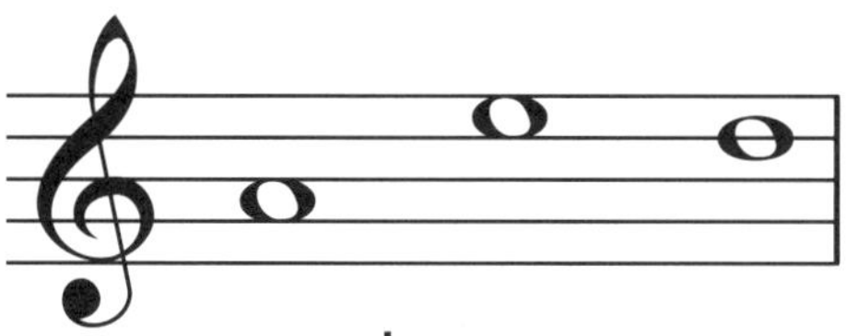  

Am ___ b ___ n ___ ist ___ ___ n i ___ l sehr froh.

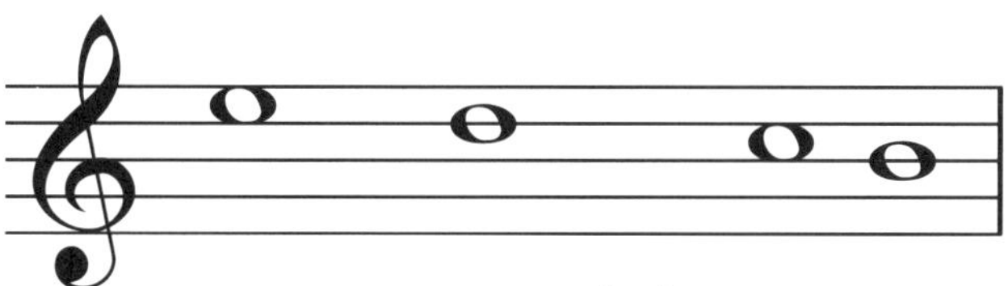

___ n ___ l i ___ ___ ist er  Jahre alt!

a^1, h^1, c^2, d^2, e^2

a^1-Fünftonraum

Spiel

Für dieses Spiel brauchst du einen Würfel und für jeden Spieler eine Spielfigur. Der Jüngste fängt an. Um das Startfeld verlassen zu können, musst du eine 6 würfeln. Am Beginn hast du drei Versuche. Aufgabe ist es, von Blüte zu Blüte bis zum Ziel zu spazieren.

Die Spielfiguren dürfen sich gegenseitig werfen. Kommst du auf ein Notenfeld, sagst du den Notennamen. Ist dieser richtig, darfst du in der nächsten Runde weiterfahren. Ist er falsch, musst du zum Start zurück. Würfelst du eine 6, darfst du noch einmal würfeln. Bei den Feldern ←1 oder ←2 gehst du ein oder zwei Felder zurück. Kommst du auf das Bienenfeld, fliegst du auf dem Bienenweg zum hinteren Feld zurück. Beim Picknick oder bei der Pause setzt du einmal aus. Sieger ist der, der als erster im Ziel ist!

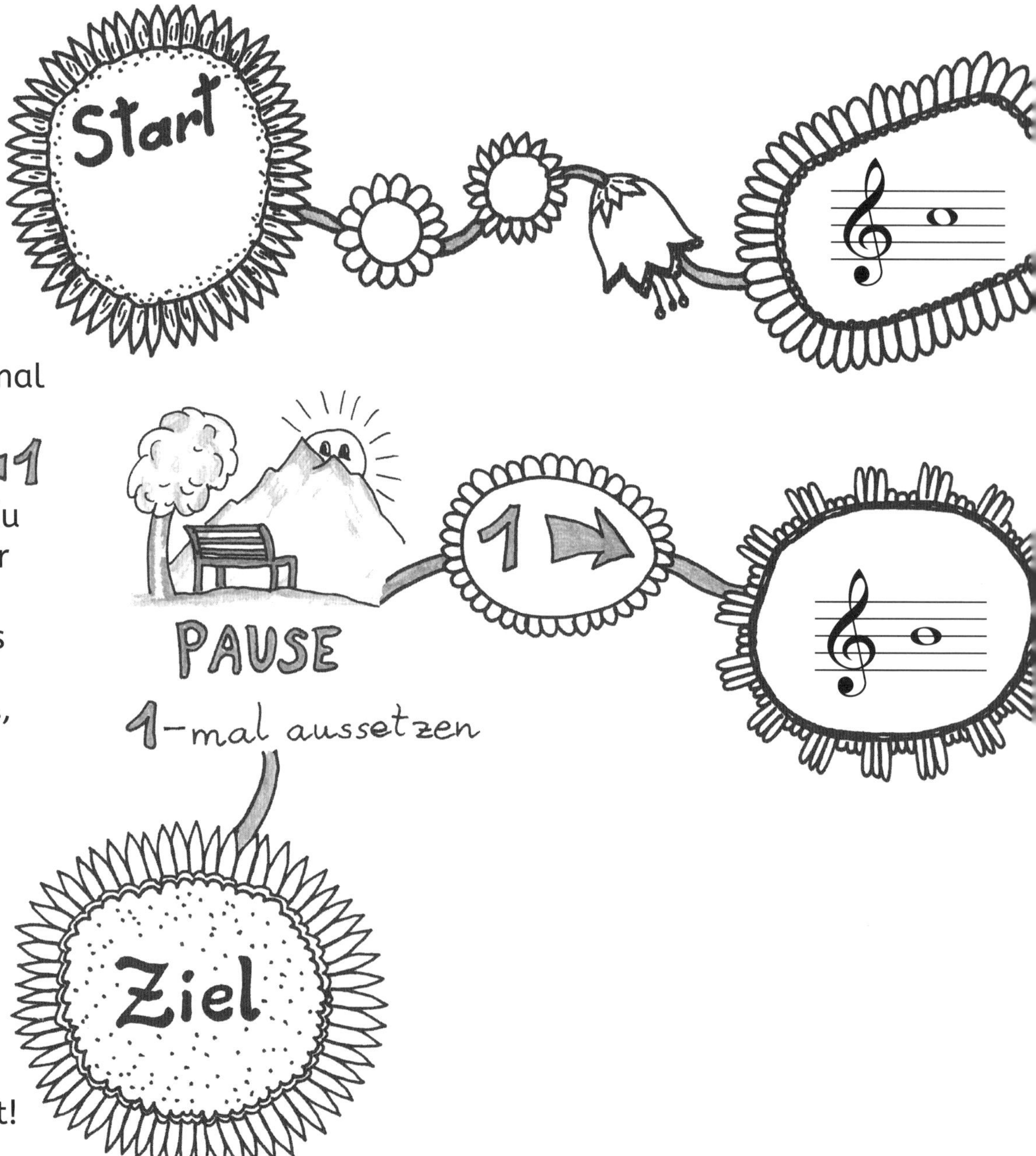

a^1-Fünftonraum

a^1, h^1, c^2, d^2, e^2

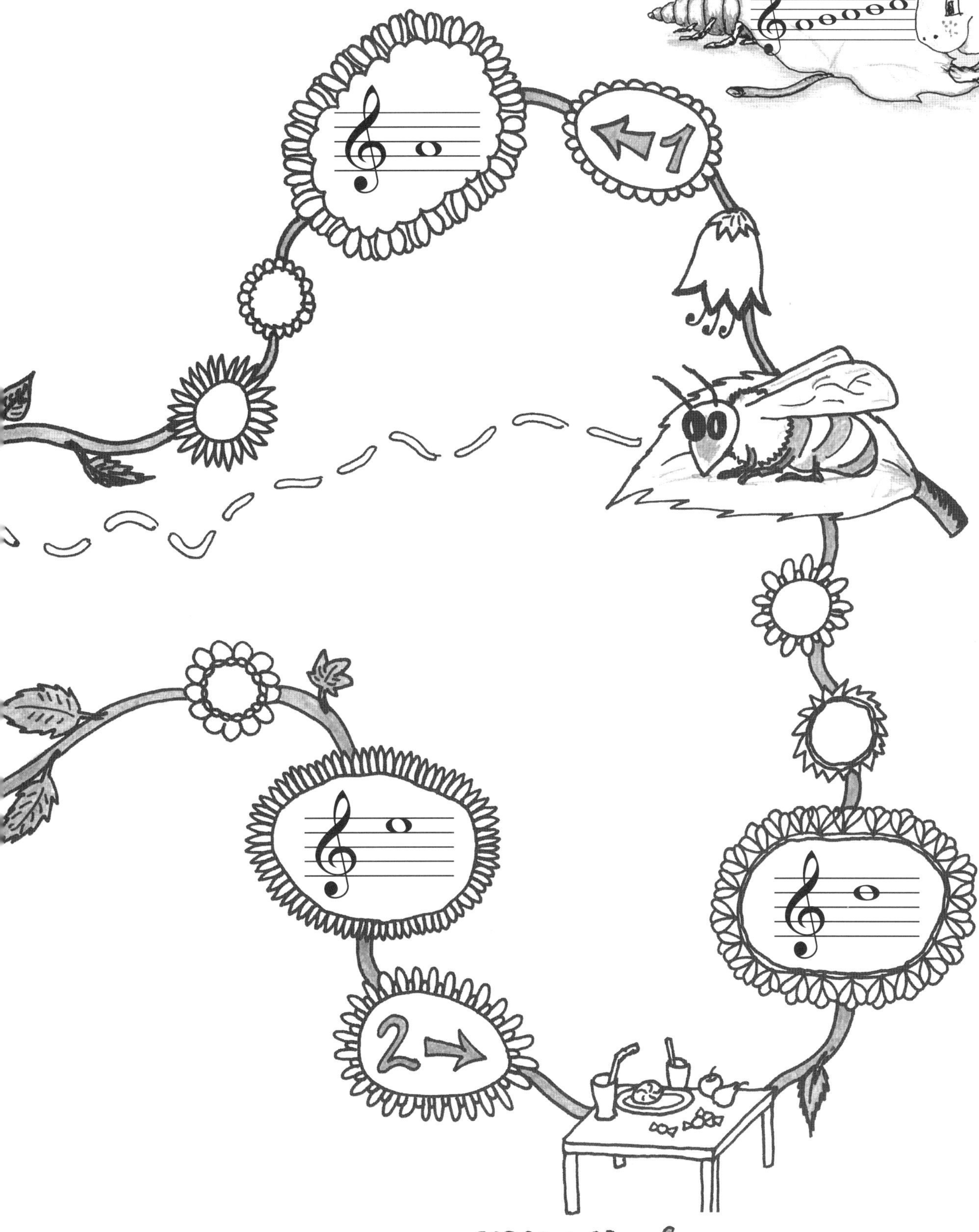

a^1, h^1, c^2, d^2, e^2

a^1-Fünftonraum

Notengeheimschrift * Notengeheimschrift * Notengeheimschrift

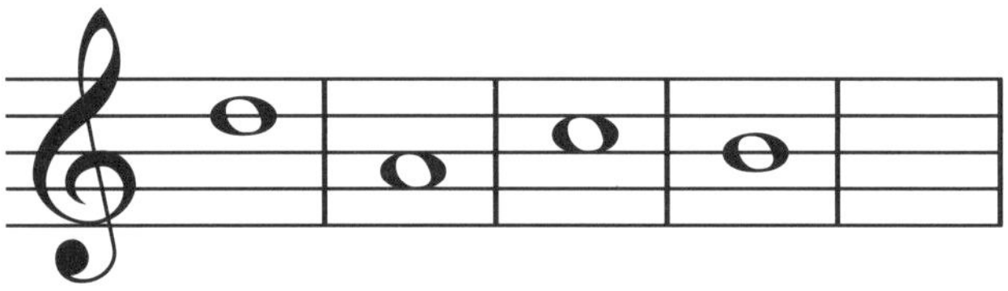

__ __ __ __ S

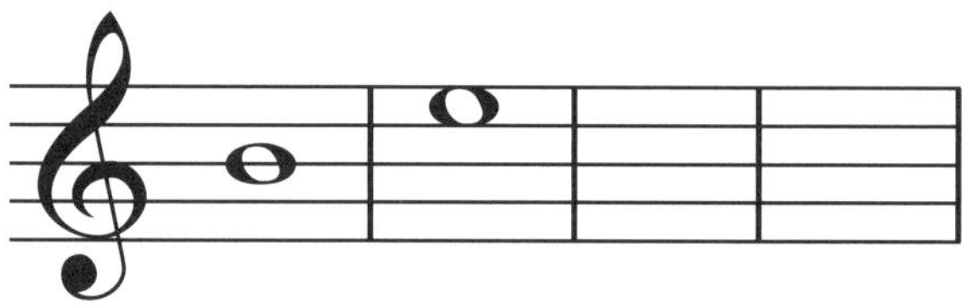

__ __ R Z

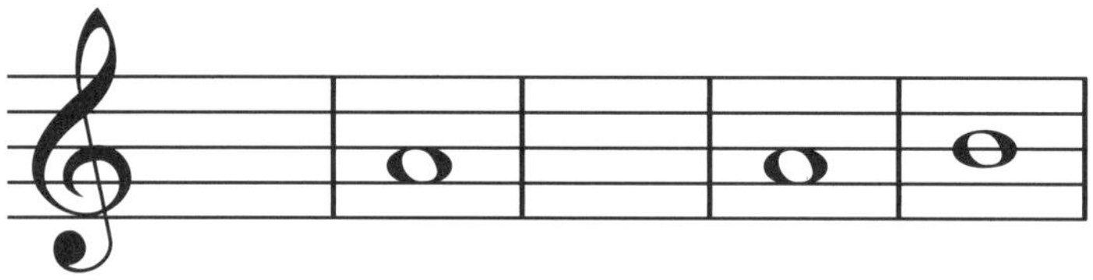

S __ R __ __

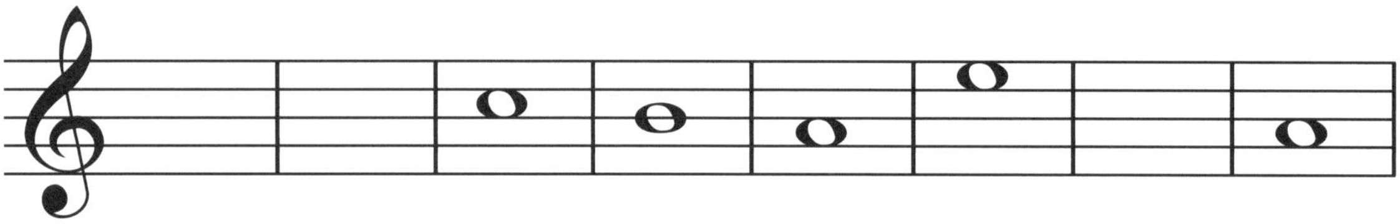

M I __ __ __ __ L __

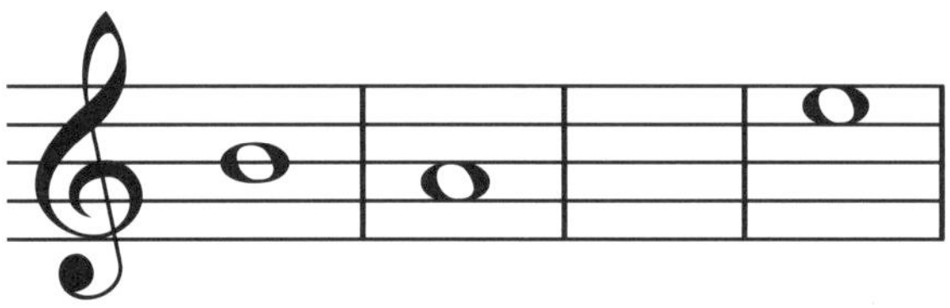

__ __ S __

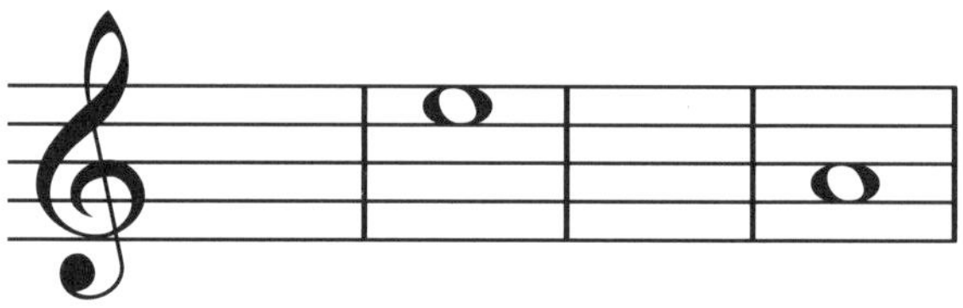

L __ N __

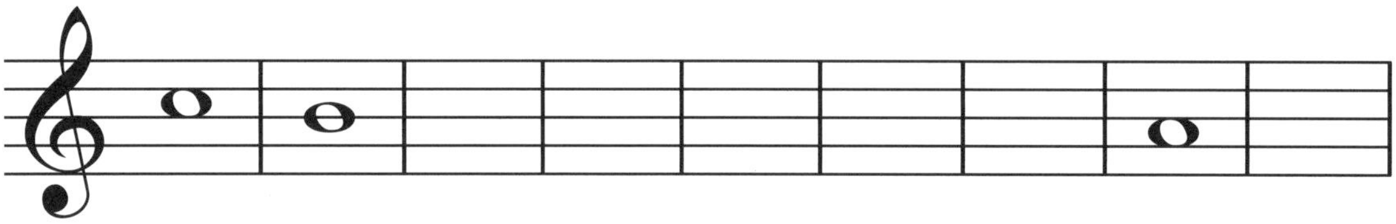

__ __ R I S T I __ N

g-Viertonraum

g, a, h, c^1

Denke dir unter der ersten Linie zwei Hilfslinien dazu. Dadurch kannst du die Tonleiter weiter nach unten schreiben:

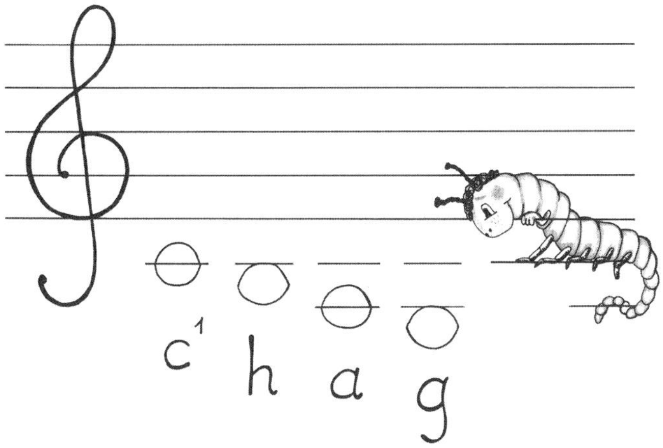

c^1 .... auf der 1. Hilfslinie
h .... unter der 1. Hilfslinie
a .... auf der 2. Hilfslinie
g .... unter der 2. Hilfslinie

Schreibe die richtigen Notennamen unter die Notenköpfe:

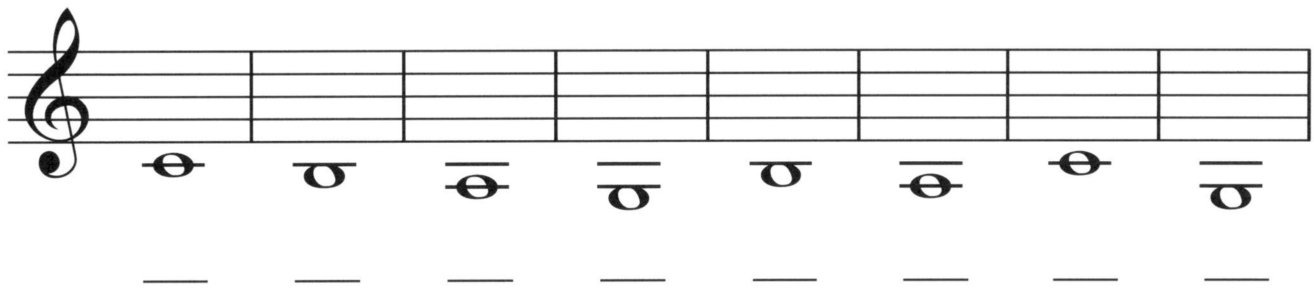

Setze die Notenköpfe an die richtige Stelle:

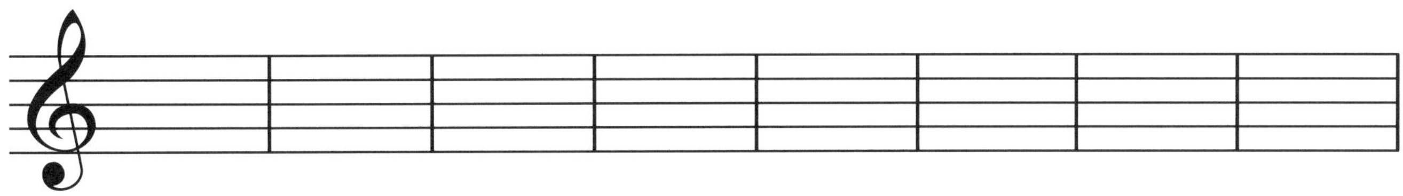

h g a c^1 g h a c^1

g, a, h, c^1

g-Viertonraum

Schreibe den Schmetterlingen die richtigen Noten in die Flügel.

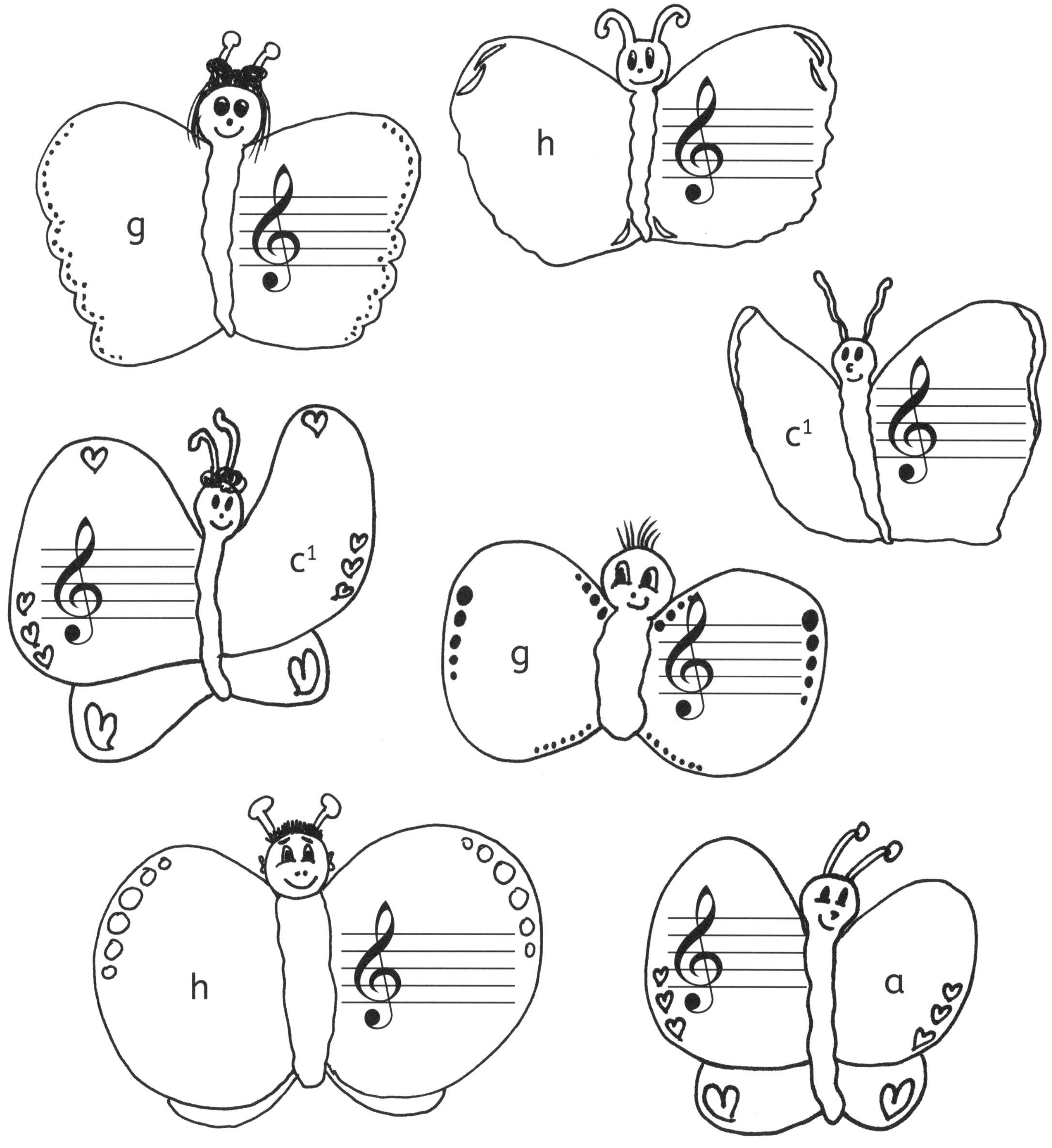

g-Viertonraum

g, a, h, c^1

Male die Pilze in der richtigen Farbe an:

g-Pilze → blau
a-Pilze → braun
h-Pilze → violett
c^1-Pilze → rot

g, a, h, c^1

g-Viertonraum

Stimmt die Note mit dem Notennamen überein, malst du die fröhliche Gitarre an. Stimmt sie nicht überein, malst du die traurige/ böse Gitarre an und schreibst die richtige Lösung daneben.

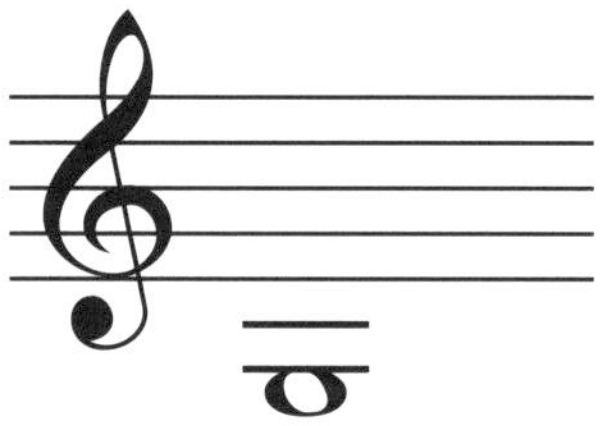

a

c^1

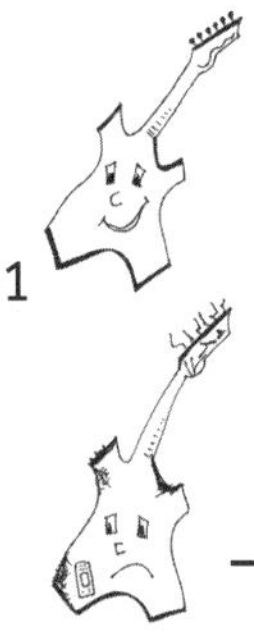

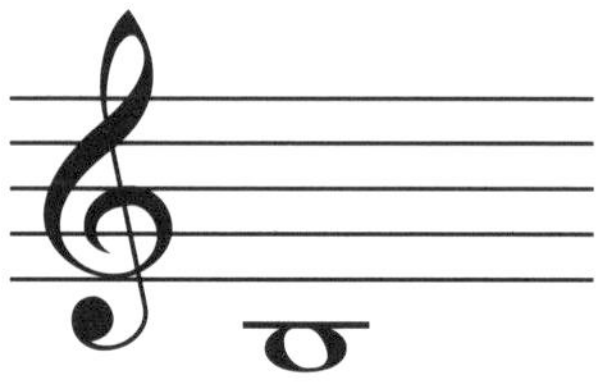

h

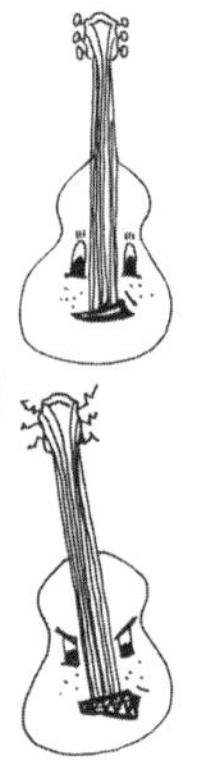

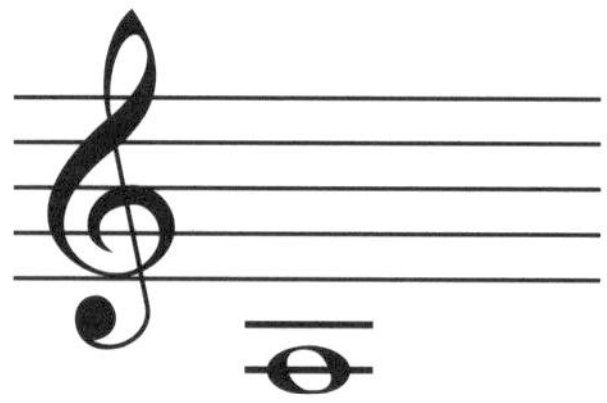

g

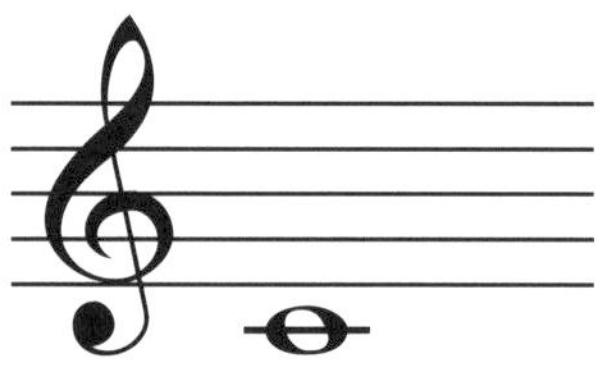

h

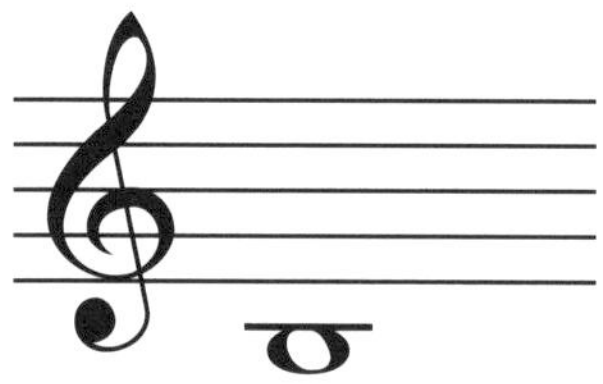

c^1

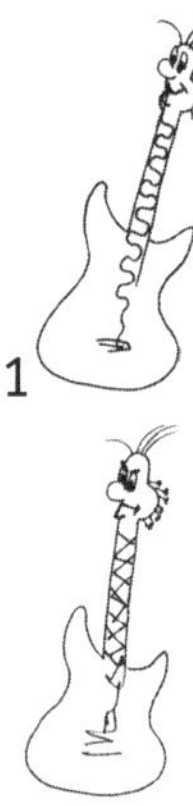

a^1

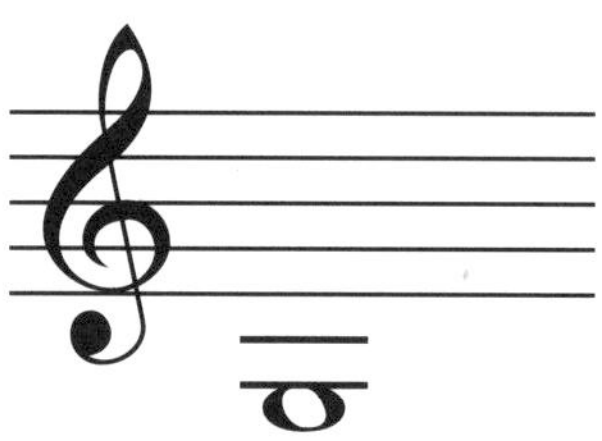

g

g-Viertonraum

g, a, h, c^1

Male die Felder in den richtigen Farben an:

g → blau
a → braun
h → violett
c^1 → rot

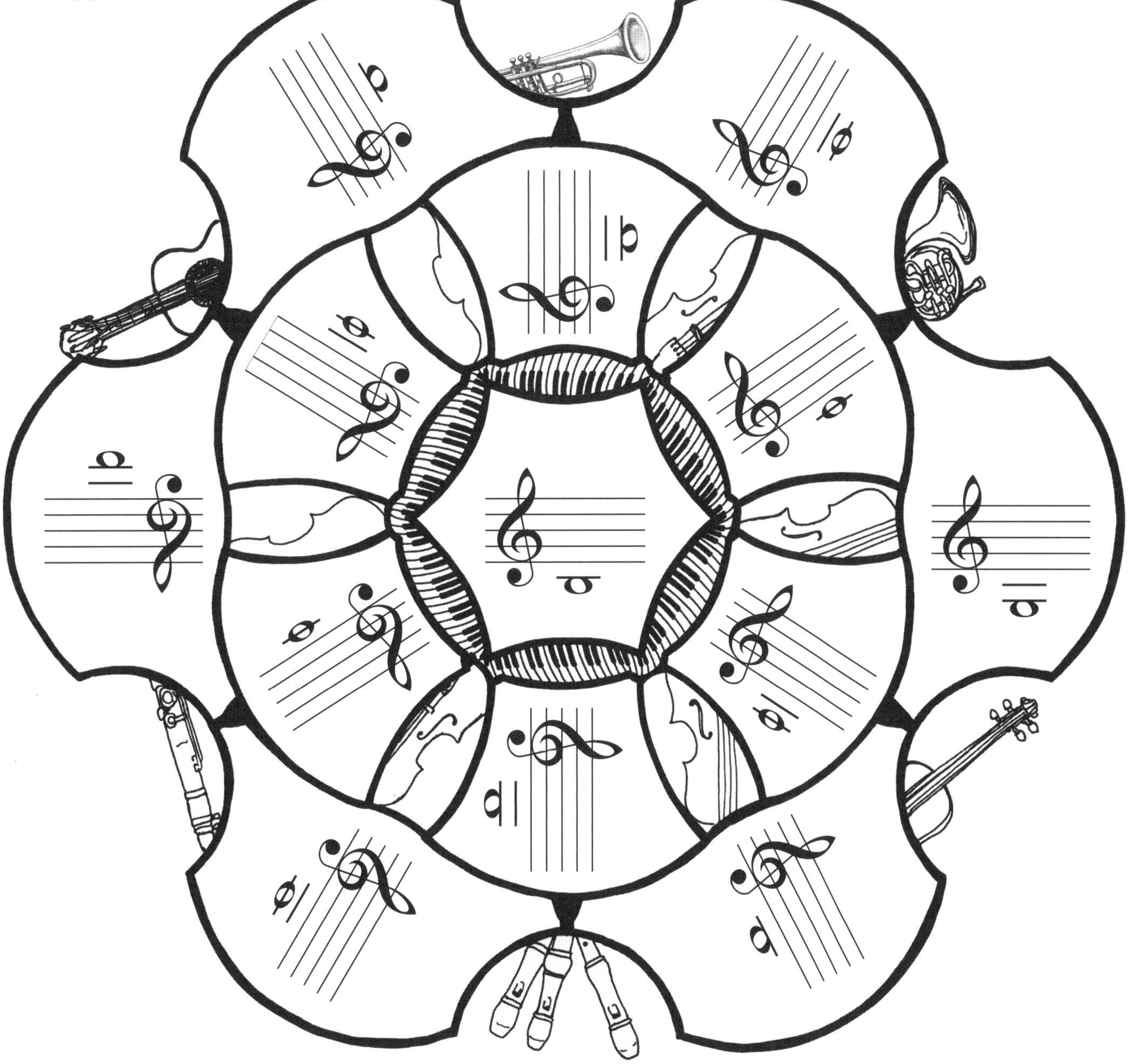

g, a, h, c^1

g-Viertonraum

Kannst du dir denken,
was hier zu tun ist?

Schreibe die Note an die richtige Stelle. ↘

Hier fehlt der Notenname. ↘

auf der 2. Hilfslinie

unter der 2. Hilfslinie

unter der 1. Hilfslinie

auf der 1. Hilfslinie

g-Viertonraum

g, a, h, c^1

Male die Gitarren in der richtigen Farbe an:

g-Gitarren → blau
a-Gitarren → braun
h-Gitarren → violett
c^1-Gitarren → rot

c^2-Fünftonraum

c^2, d^2, e^2, f^2, g^2

Peppo findet neue Noten:

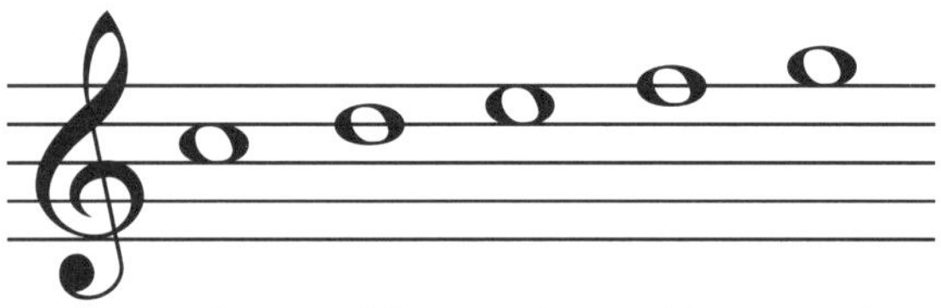

c^2 d^2 e^2 f^2 g^2

Kreuze den richtigen Notennamen an.

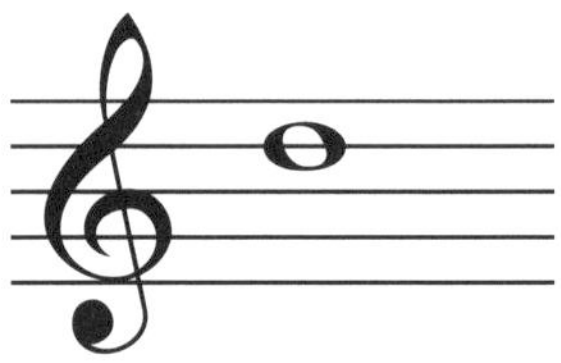

☐ f^2
☐ e^2
☐ d^2

☐ c^2
☐ e^2
☐ g^2

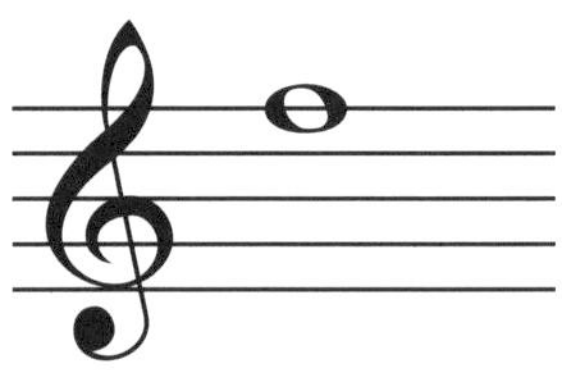

☐ g^2
☐ d^1
☐ f^2

☐ c^2
☐ f^2
☐ d^2

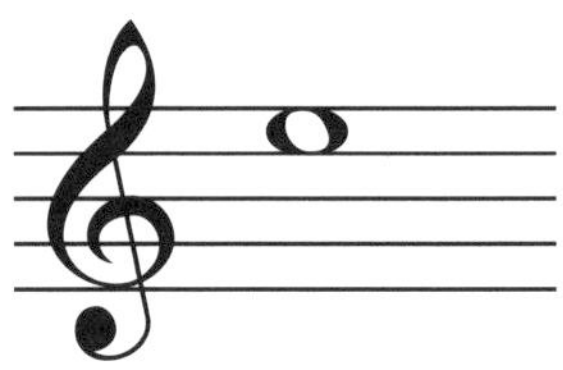

☐ g^2
☐ c^2
☐ e^2

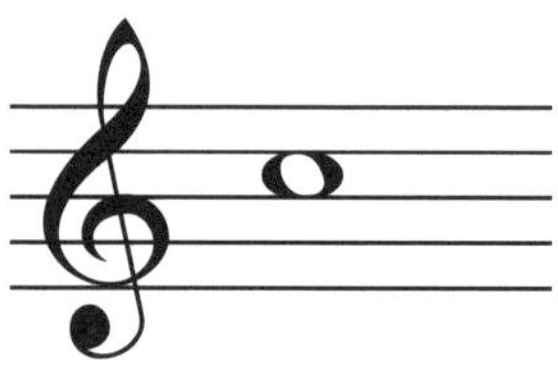

☐ d^2
☐ e^2
☐ c^2

c^2-Fünftonraum

c^2, d^2, e^2, f^2, g^2

Welches ist dein Lieblingstier?

Hund **C**äsar

Dinosaurier

Elefant

Fuchs

Gockel

c^2, d^2, e^2, f^2, g^2

c^2-Fünftonraum

Der Anfangsbuchstabe des Tieres ist der Notenname.
Schreibe die richtigen Noten in die Notenlinien.

c^2-Fünftonraum

c^2, d^2, e^2, f^2, g^2

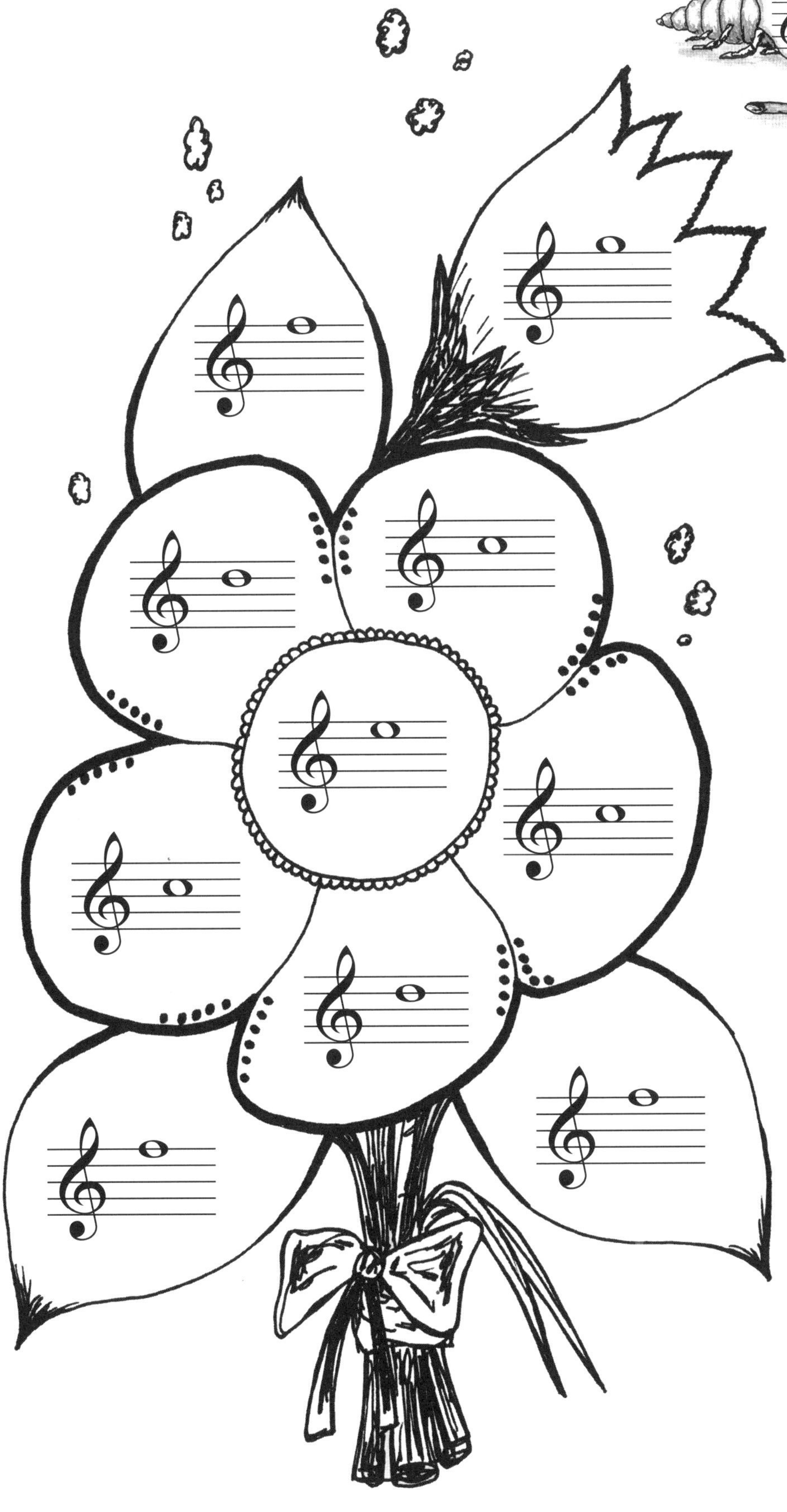

Male die Felder des Blumenstraußes in der jeweiligen Farbe an:

c^1 → rot
d^1 → orange
e^1 → gelb
f^1 → grün
g^1 → blau

c^2, d^2, e^2, f^2, g^2

c^2-Fünftonraum

Die Autos fahren in die Garagen. Schreibe den richtigen Notennamen auf die Garagentore.

c^2-Fünftonraum

c^2, d^2, e^2, f^2, g^2

Hier sind Puzzleteile durcheinander geraten. Verbinde zunächst die Puzzleteile (je zwei Teile gehören zusammen) und schreibe dann die richtigen Noten in die Notenlinien.

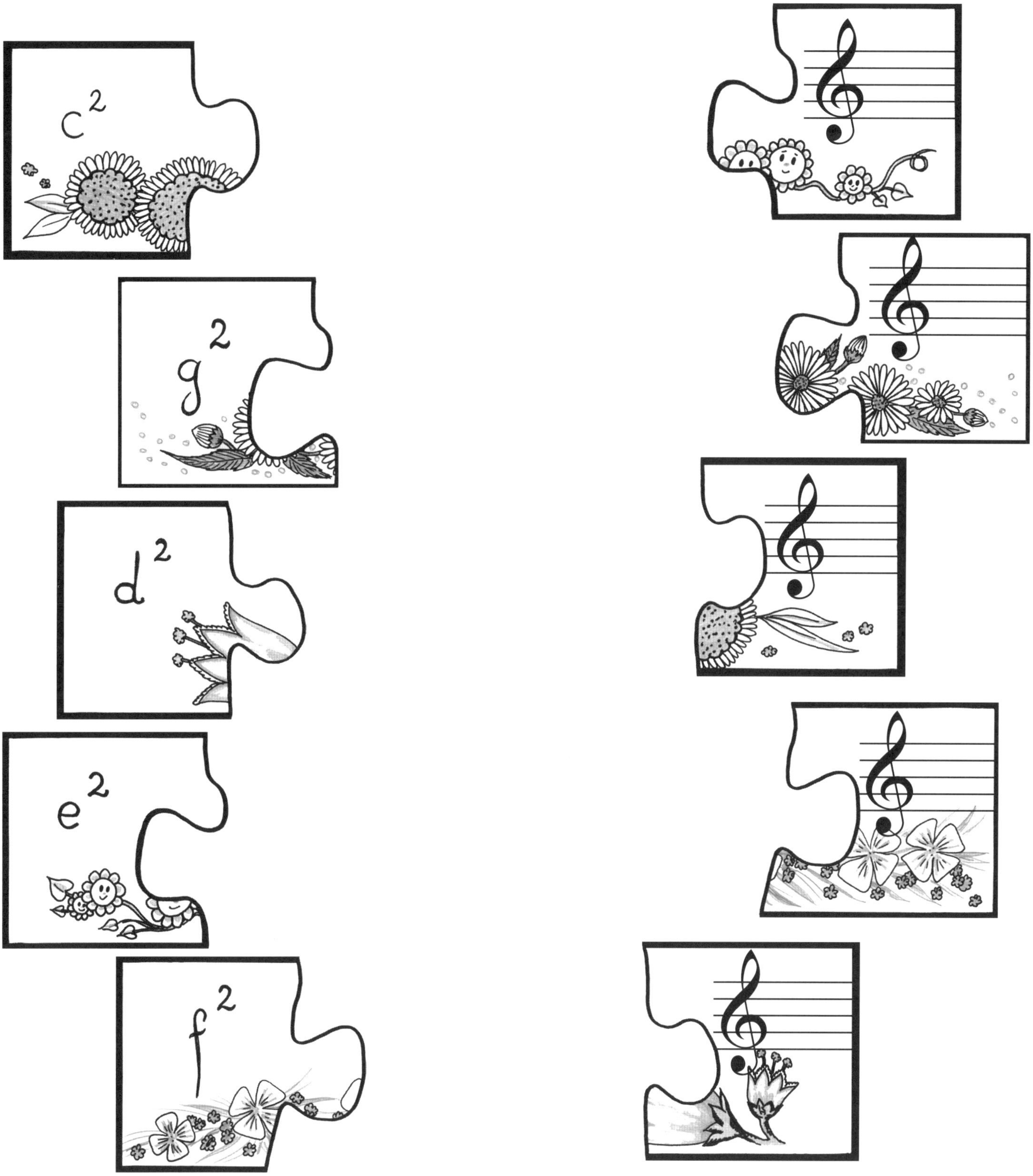

c^2, d^2, e^2, f^2, g^2

c^2-Fünftonraum

Male das Mandala in den entsprechenden Farben an:

c^2 → rot
d^2 → orange
e^2 → gelb
f^2 → grün
g^2 → blau

c^2-Fünftonraum

Fünf Äpfel sind vom Baum gefallen. Findest du heraus, von welchem Ast sie abgebrochen sind? Schreibe die richtige Ziffer in die unten liegenden Äpfel.

c^2, d^2, e^2, f^2, g^2

c^2-Fünftonraum

Finde den richtigen Weg
zum Notennamen.

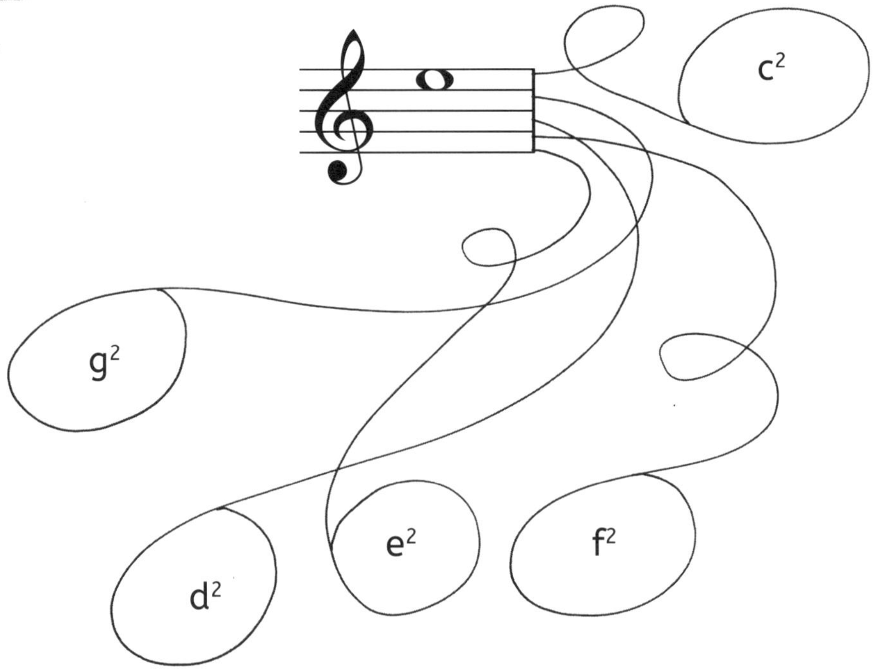

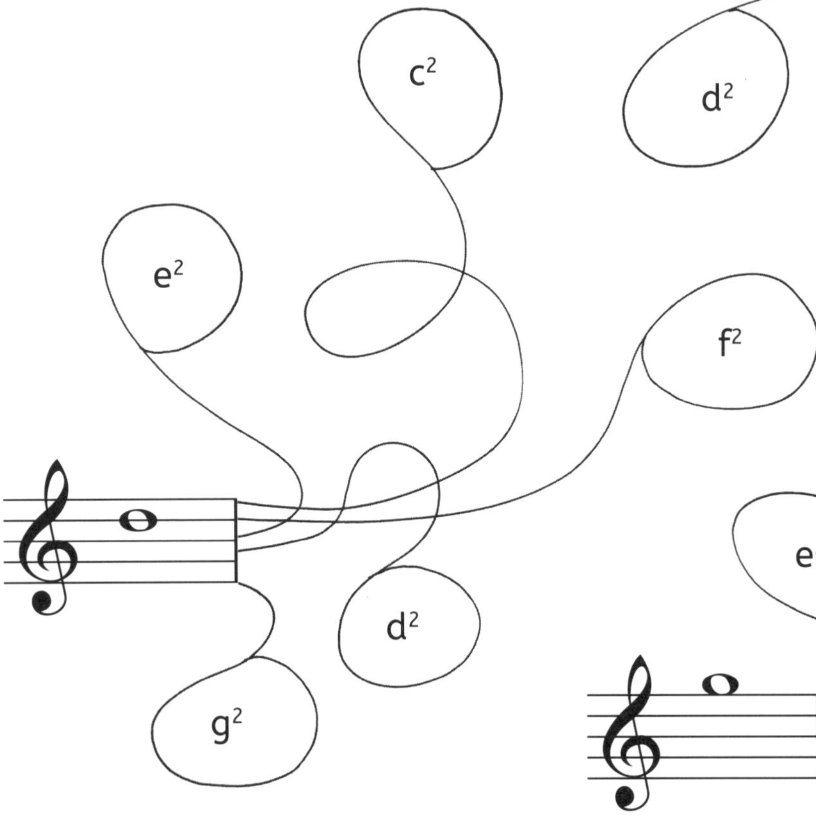

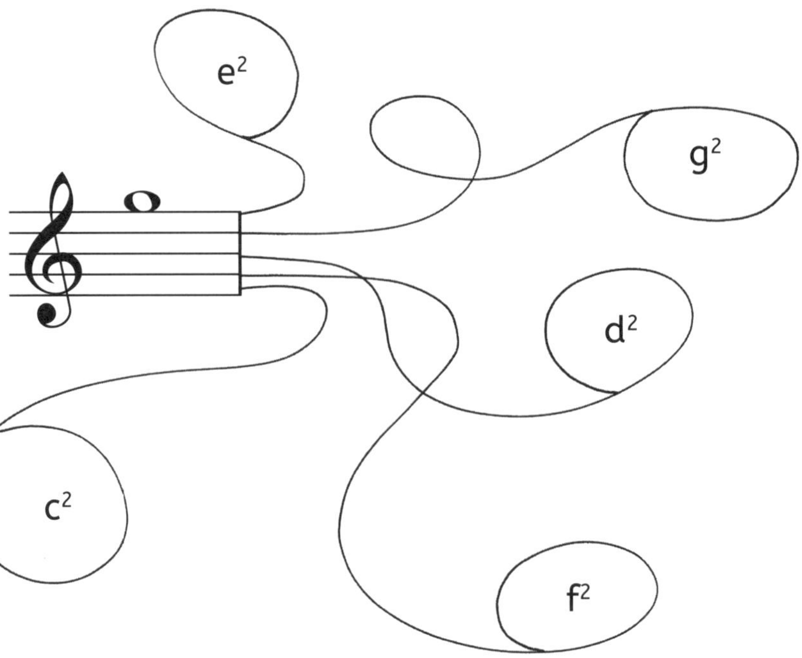

Alles Gute!
Auf der nächsten Seite
kannst du dir deine
Urkunde ausschneiden!

Urkunde

____

(Name)

ist ein richtiger

Violinschlüssel-Spezialist!

Hier kannst du ein Foto einkleben.

Peppo